UM LUGAR NA JANELA

RELATOS DE VIAGEM

D1638579

MARTHA MEDEIROS

UM LUGAR NA JANELA

RELATOS DE VIAGEM

L&PM
EDITORES

Texto de acordo com a nova ortografia.

1ª edição: outubro de 2012

Capa: Marco Cena
Foto da contracapa: Arquivo pessoal
Revisão: L&PM Editores

CIP-Brasil. Catalogação na Fonte
Sindicato Nacional dos Editores de Livros, RJ

M44L

Medeiros, Martha, 1961-
    Um lugar na janela: relatos de viagem / Martha Medeiros. – Porto Alegre, RS: L&PM, 2012.
    192p. : 21 cm

    ISBN 978-85-254-2744-1

    1. Descrições e viagens - crônica. 2. Crônica brasileira. I. Título.

12-6911.   CDD: 869.98
                            CDU: 821.134.3(81)-8

Todos os direitos desta edição reservados a L&PM Editores
Rua Comendador Coruja, 314, loja 9 – Floresta – 90.220-180
Porto Alegre – RS – Brasil / Fone: 51.3225.5777 – Fax: 51.3221.5380

PEDIDOS & DEPTO. COMERCIAL: vendas@lpm.com.br
FALE CONOSCO: info@lpm.com.br
www.lpm.com.br

Impresso no Brasil
Primavera de 2012

SUMÁRIO

PRÉ-EMBARQUE

Tive um blog, mas acho que não durou nem um ano. Simplesmente não sabia o que publicar. Já é uma façanha ter assunto para preencher as colunas de jornal, o que mais sobraria para postar num blog? Eu o usava principalmente como agenda, ou seja, comunicava aos meus leitores sobre os eventos de que participaria. Mas não participo de tantos assim – hoje em dia, então, de quase nenhum. Era uma angústia. Até que foi noticiado na imprensa que o Rock in Rio voltaria a acontecer em setembro de 2011. Estava dada a largada para as especulações sobre que bandas tocariam, como seria organizado o evento e tudo mais. Moto-contínuo, lembrei do Rock in Rio de 1985, o primeiro de todos – eu fui. E resolvi contar essa breve passagem da minha vida no blog, na falta de um tema mais palpitante. Para minha surpresa, o post bateu recorde de leitura. E era um textinho de nada, apenas um registro rápido de uma viagem feita quando eu tinha 23 anos, com um namorado que preferia jazz ao rock, mas que topou colocar seu maverick na estrada com um trailer alugado a reboque – sério. Percorremos as praias mais incríveis do Brasil, até que estacionamos aquelas duas peças de museu num camping em Jacarepaguá e passamos a curtir dias de chuva, lama e som, ao melhor estilo Woodstock. Entre tantos shows inesquecíveis, tivemos o privilégio de cantar a capella "Love of My Life" regidos por Freddie Mercury, do Queen. De arrepiar. Parecia que estávamos no imenso átrio de uma igreja. Até hoje essa imagem circula nos "vale a pena ver de novo" como o momento clássico do festival.

Empolgada pela acolhedora repercussão desse registro, postei no blog as lembranças de umas férias longínquas que tirei em Bombinhas, hoje uma das praias mais badaladas de Santa Catarina, mas que, em 1981, quando lá estive pela primeira vez com uma turma de amigos, era um local ermo à beira-mar, com difícil acesso e zero infraestrutura, havia apenas umas poucas casinhas de pescadores. Para espanto da garotada de hoje, sobrevivia-se sem celular, Ipod, Ipad, Iphone, tablet e laptop – nem televisão o casebre que alugamos possuía. Éramos cinco mulheres e cinco homens, entre 18 e 19 anos, e ninguém namorava ninguém. O clima era o do seriado *Friends*, versão praiana. Com uma pitada de Robinson Crusoé.

Mais uma vez o pessoal do blog deu sua aprovação. Eu havia encontrado um mote. Mais adiante, postei em capítulos a primeira viagem que fiz para o exterior (na verdade, já conhecia Montevidéu e Buenos Aires, mas para nós, gaúchos, essas capitais são praticamente extensões do pampa). Mochilei sozinha pela Europa por dois meses e publiquei detalhes dessa viagem que inaugurou em mim um novo olhar sobre o mundo. Os relatos também agradaram, talvez porque estivesse evidente o meu entusiasmo ao relembrar tudo o que havia acontecido naquela minha primeira aventura fora de casa. Enquanto escrevia, parecia que eu estava assistindo a um filme. Enxergava a mim mesma com 20 e poucos anos, lembrava a roupa que estava usando, os cheiros que havia sentido – as sensações voltavam como se eu estivesse sob uma espécie de hipnose branda. Tomei uma resolução: fim de linha para o blog. Vou andarilhar por aí em outro veículo. Um veículo impresso.

Poderia dizer que foi assim que este livro começou a existir, e não estaria mentindo, mas para ser mais exata, ele nasceu em 20 de agosto de 1961, às 14 horas, no Hospital Beneficência Portuguesa, de Porto Alegre. Viajar sempre esteve no meu DNA.

Atravessar fronteiras era um desejo meu desde menina, incluindo as fronteiras mentais, não apenas as geográficas. Conhecer, descobrir, avançar, aprender: verbos que de certa forma me definem, todos relacionados com o exercício da liberdade. Tive uma infância alegre e saudável, mas, pequena ainda, já ensaiava a resposta que daria quando me perguntassem o que queria ser quando crescesse: adulta. E que fosse logo, de uma vez. Diziam que ser criança era divertido, mas ser gente grande me parecia muito mais – e acredito nisso até hoje. Não partilho da nostalgia romântica que a maioria das pessoas cultiva por seus primeiros anos. Não por acaso, os melhores momentos daquela garota que fui estão relacionados com as férias de verão, as temporadas na praia, os passeios organizados pelo colégio. A possibilidade de viajar sempre me pareceu mais atrativa do que qualquer pracinha.

Eu queria ir. Para onde, não importava. Tinha pânico de criar raiz.

A liberdade é uma ilusão, eu sei. Ninguém é inteiramente livre, a não ser que não possua vínculos. Como qualquer pessoa saudável, não abro mão de laços afetivos, a vida seria muito árida sem amor. Desertos são fascinantes, mas não os emocionais, então tenho uma relação de profundo apego à minha família, aos meus amigos e ao meu coração, que de tempos em tempos bate forte por alguém, e essa turma estimula meu crescimento, mas para crescer juntos é preciso facilitar o encontro, o que me faz ter um endereço fixo. Já vínculos profissionais não me prendem. Depois que me tornei autônoma, eles se expandiram barbaramente. Mesmo ainda não fazendo uso dessa vantagem, é um alívio saber que poderia realizar meu trabalho em qualquer canto do planeta, bastando para isso um notebook. Qualquer canto. Até no meio do mato, até dentro de um barco (se eu gostasse de mato e de barcos). Bastaria uma rede wi-fi.

Inúmeros motivos justificam essa minha gamação por estar na estrada. Um deles é que viajar nos faz reagir conforme a demanda do momento, que é sempre imprevisível. Comer aranhas fritas, fazer confidências a um homeless, assistir às luzes de uma aurora boreal, colocar uma cobra em torno do pescoço, percorrer vilarejos de bicicleta, dormir sobre a grama de um parque, ir a uma festa promovida por hare krishnas, casar de sarongue numa ilha da Polinésia.

Sair de casa é a oportunidade de sermos estrangeiros não só aos olhos dos nativos de outro país, mas estrangeiros num sentido mais amplo. Pense: o ambiente doméstico nos mantém amarrados a um procedimento mecânico. Os móveis da nossa casa estão sempre no mesmo lugar. Os copos, na mesma prateleira da cozinha. Temos nosso lado preferido na cama. "Todo dia ela faz tudo sempre igual", diz a canção de Chico Buarque, "Cotidiano". Esse condicionamento não estimula mudanças. Por isso, entre outros benefícios, viajar é uma maneira de nos espalharmos, de rompermos com nossas divisórias internas e aniquilarmos medos e tabus. Viajando é que descobrimos nossa coragem e atrevimento, nosso instinto de sobrevivência e nossa capacidade de respeitar novos códigos de conduta. Viajar minimiza preconceitos. Viajantes não têm partido político, classe social, time de futebol, firma reconhecida em cartório, senhas decoradas na cabeça. Reciclam-se a cada manhã, quando acordam – e acordam, que benção, sem a tirania do despertador.

Não vivi nem metade das experiências que citei aqui, os exemplos são mera ilustração. Nunca comi aranha frita. Não tive coragem de colocar uma cobra em torno do pescoço quando um marroquino me propôs a brincadeira. Nunca fui a uma festa organizada por hare krishnas. E o céu verde-elétrico de uma aurora boreal só verei, talvez, quando for ao Alasca, destino que está em 46º lugar entre minhas prioridades.

Mas circulei por Praga quando o comunismo ainda estava em vigência e não se via um único turista nas ruas, estive junto ao muro de Berlim poucos dias antes de ele ser derrubado, descobri como se diz "absorvente íntimo" em alemão (quando a necessidade surgiu numa cidadezinha chamada Ludwigshafen), dividi a mesa com finlandeses desconhecidos num restaurante em Budapeste, chorei num posto de gasolina em Paris por ser confundida com uma golpista, entrei no banheiro masculino de um bar em Lisboa só para conferir uma instalação na parede que era mais atraente que o cardápio, vibrei assistindo a um jogo da seleção de vôlei numa praça em Veneza, passei por um terremoto arretado em Los Angeles, vi o papa João Paulo II em Roma e sobre nada disso comentei neste livro – ficarão, quem sabe, para uma parte 2. Continuar é um verbo que também me define.

Dicas úteis tampouco serão encontradas nas próximas páginas. Não é o propósito, já que hoje é mais fácil buscar esse tipo de informação na internet, onde são atualizadas com rapidez desvairada. Até cito, aqui e ali, um restaurante, um hotel, mas não devem ser tomados como recomendação, podem já ter fechado, ou vá que o serviço decaiu.

Mas me atrevo a dar algumas sugestões para quem nunca viajou e tem sérias dúvidas se nasceu para isso.

Se para você é um suplício abandonar seu sofá, seu carro, seu travesseiro e o *Fantástico* aos domingos, não viaje. Se você é do tipo que não consegue se maravilhar com o que está vendo porque está mais preocupado com os mosquitos, os remédios, as gorjetas, o fuso horário e em checar os e-mails do trabalho, não viaje. Se você não faz ideia em que ponto do mapa fica o local para onde está indo, não tem a mínima curiosidade sobre a cultura do lugar, até desconhece o idioma falado, não viaje. Se você está fazendo as malas sob coação, pois sua mulher o ameaçou com o divórcio, faz bem em ter juízo, vá com ela. Mas, fora algum outro caso assim extremo, não viaje. Não é obrigatório. Não assegura uma vaga no céu. Viajar é para quem tem espírito desbravador, mas se você não tem, não tem.

Aliás, esse espírito desbravador funciona inclusive na cidade em que se mora. É ele que faz com que não fiquemos confinados sempre no mesmo bairro, é ele que nos estimula a conviver com pessoas diferentes, é ele que nos ajuda a perceber detalhes nunca antes vistos nas ruas por onde passamos todos os dias. Esse espírito desbravador pode habitar alguém que, infelizmente, não tem condições de viajar por falta de recursos financeiros. Ainda assim, esse alguém é mais cosmopolita do que aquele que tem um ótimo saldo no banco, mas não faz a menor questão de conferir de perto o que aprendeu nas aulas de geografia e história. O mundo não é justo, sabemos.

Os relatos que compõem esse livro não têm a densidade filosófica de um Paul Theroux, não servem como substitutos dos guias Frommer's e Michelin, nem possuem a graça dos sites espirituosos e utilíssimos do meu amigo Ricardo Freire. É apenas um resgate despretensioso, na mesma linguagem do blog que o originou, de viagens realizadas em momentos diversos da minha vida. Estão aqui os embarques feitos a dois, e também com amigas, com as filhas, com grupos e comigo mesma, bravamente sozinha. São viagens pelo Brasil, pela América do Sul, pelos Estados Unidos, pela Europa e tem até um pulo no Japão. Viagens contadas de forma cronológica, onde nada de sobrenatural aconteceu, a não ser a predisposição para a alegria, o que já é sobrenatural o suficiente nesses dias carrancudos.

Uma última coisa: quando escrevo, procuro ser mais fiel aos substantivos do que aos adjetivos, que não passam de meros acessórios. Mas ao me aventurar num gênero literário até então inédito no meu currículo, descobri que só a golpes de foice para ceifá-los do texto. Grudam nas frases feito erva daninha. Impossível descrever lugares exóticos e experiências sensoriais sem a ajuda deles.

Exóticos, sensoriais... avisei, adjetivos são carrapatos.

Se, ainda assim, você segue motivado, então acomode-se à janela e coloque a cabeça pra fora. Aqui, pode.

PRIMEIRA VEZ NA EUROPA

Parte 1

Era 1986 e eu tinha 24 anos. Andava angustiada, queria escapar da rotina e me enxergar de forma inédita, e viajar sempre ajuda – ao menos pra mim, que sempre considerei uma prática terapêutica. Então, depois de juntar dinheiro, negociar meu afastamento temporário do trabalho e fazer meu namorado (o mesmo com que fui ao Rock in Rio) entender que eu precisava de um tempo sozinha, embarquei para Londres, onde minha melhor amiga estava morando, recém-casada.

Havia umas 300 pessoas a bordo do avião, mas fui a única a ser revistada quando desembarquei no aeroporto de Heathrow – meu aspecto muçulmano me condena. Como não levava granadas na bagagem, entrei no país sem mais perguntas. Minha amiga me esperava na área de desembarque. Depois de um longo abraço, pegamos o metrô e começamos a tagarelar dentro do vagão, sem ver o tempo passar. Quando saí da estação e pisei, de fato, na primeira rua a céu aberto do Velho Continente, a impressão que tive é que eu estava de volta à minha casa – era como se eu tivesse nascido em Londres. Até hoje não sei explicar o que faz com que sintamos uma identificação tão forte com um lugar e sintonia nenhuma com outro. O escritor Gustave Flaubert defendia a tese de que a nacionalidade de uma pessoa não deveria ser estabelecida por sua cidade de nascimento, e sim pelos locais pelos quais a pessoa se sentia atraída. "Meu país natal é aquele que amo, ou seja, aquele que me faz sonhar, que me faz sentir bem. Sou tão chinês quanto francês..." Naquele dia eu comecei a descobrir como se dava, na prática, essa amplitude informal de cidadania. Passava a me sentir tão londrina quanto porto-alegrense.

O apartamento da minha amiga era minúsculo, e eu não seria sonsa de atrapalhar o casal que estava praticamente em lua de mel, então aluguei um quarto na casa de uma inglesa meio maluca, a Daphne, separada e com quatro filhos: Gregor, Boris, Fiona e Phylis. Quarto franciscano, mas limpinho, banheiro no corredor. As refeições eu teria que fazer fora, mas podia usar a geladeira para guardar o que comprasse para consumo próprio. O bairro era Pimlico, perfeito. Tudo acertado, joguei minha sacola num canto e fui dormir, mas não dormi. Passei a noite em claro e em pânico: o que vim fazer na Europa sozinha? Vou perder meu emprego. Vou perder meu namorado. Vou me perder. Help, I need somebody.

A noite sempre foi madrasta com meus pensamentos. Quando acordei no dia seguinte, já não havia vestígio daquela garota medrosa. Tomei um banho e fui pra rua, e tudo começou. Pirei com Londres. Passava os dias em parques e museus, e o que mais gostava era de ver a movimentação das pessoas, aquela diversidade cultural, cada um na sua, com seu estilo. Uma metrópole vanguardista e ao mesmo tempo monárquica, uma contradição estimulante. Almoçava pizza, jantava um pedaço de queijo e caminhava uns 20km por dia, ou mais. À noite, costumava sair com minha amiga e o marido dela, que, aliás, vivem atualmente em Porto Alegre e são meus melhores amigos até hoje. Em Londres, assisti no cinema o blockbuster do momento, 9 1/2 Weeks (*Nove e meia semanas de amor*), só se falava nesse filme, e o enredo prometia ser fácil o suficiente para eu entendê-lo sem a ajuda de legendas. E assisti ao musical *Cats* numa matinê cujo preço do ingresso era compatível com minhas posses. Foi quando confirmei que musical não é mesmo meu gênero teatral preferido. *Cats* me pareceu cafona e um tantinho enfadonho: sofri ao ouvir a música-tema, "Melody", com a mesma intensidade com que sofria ao ouvir "Feelings", do Morris Albert. Muito preocupados com a minha opinião, a trupe ficou em cartaz por 21 anos no New London Theatre.

Às vezes, quando o cansaço batia, ficava sozinha no meu quarto, escrevendo. Um dia a Phylis, que era a menorzinha da família, uns três anos de idade, me viu com um bloco e uma caneta na mão e pediu, com seu jeitinho encantador, para que eu desenhasse um "bear". Sorri e desenhei. Quando mostrei minha obra-prima para ela, a menina desatou a chorar. O que eu havia feito de errado? Até hoje me divirto quando lembro dessa história. Desenhei uma garrafa de cerveja. "Beer". Sempre tive muito jeito com crianças.

Dias depois, uma carioca chegou na casa e passou a dividir o quarto comigo. Não era de muitas palavras, mas mesmo assim a convidei para passar o fim de semana em Edimburgo, na Escócia. Ela resmungou um "ok", pegamos um ônibus e partimos numa viagem noturna de umas oito horas. Chegando lá, brrrrrrr. Nunca havia sentido tanto frio na vida. A cidade era gelada, mas por outro lado estava acontecendo um festival de música e o clima era muito festivo nos parques e ruas. Me agasalhei e fui ao encontro da arte, mas a garota só queria saber de ficar trancafiada no bed & breakfast em que nos hospedamos. Se eu, que era do sul do Brasil, sofria com a baixa temperatura, ela, carioca, estava em estado de choque. Deve me amaldiçoar até hoje pelo convite. Quando voltamos a Londres, ainda passei uns três dias na casa da Daphne, até que começou a chegar mais gente, surgiu uma muambeira não sei de onde, e aí achei que o prazo havia esgotado pra mim. Juntei minhas coisas e parti. Nunca mais soube de ninguém dessa turma. Querida Phylis, espero que o trauma tenha passado. Te devo um ursinho.

Fui de trem até Dover, de Dover peguei um barco, atravessei o canal da Mancha, desembarquei em Oostende, peguei outro trem e, finalmente, Bruxelas. Já na estação, senti o forte cheiro de chocolate no ar. Sentei nos degraus de uma escadaria e procurei um papelzinho na minha carteira. Ali estava anotado o telefone de um sujeito chamado Charles Meskens. Amigo de um colega da agência em que eu trabalhava. Charles era casado com uma brasileira e me receberia bem, garantiu meu amigo. Viajar sozinha é ótimo para exercitar a cara de pau. Liguei de um telefone público para o Charles. Atende, Charles, atende.

Ele atendeu.

Falava um português sofrível, o Charles, mas era melhor que o meu francês, que inexistia. Ele me deu seu endereço, peguei um táxi e alguns minutos depois eu estava em frente ao seu prédio. Ele me esperava na calçada. Como descrever o Charles? Sabe o Tintim, personagem de quadrinhos belga? Sem tirar nem por. Aliás, o Charles era viciado no Tintim. "Vamos subir, Vera está lá em cima", disse ele com um sotaque estranho e uma frieza que me enrijeceu os ossos. Nem um sorriso, nem um aperto de mão. Quando botei os olhos em Vera, o céu se abriu. Ela era de Novo Hamburgo. Dá cá um abraço, tchê!!

Vera e Charles eram (e ainda devem ser) artistas plásticos e também publicitários. Moravam num apartamentinho acolhedor, com janelas amplas e piso de parquê, e cheguei justamente no dia do aniversário da Vera. Imediatamente fomos os três para a cozinha preparar canapés, enquanto bebíamos kyr royale e eu contava as novidades sobre o Brasil. À noite, os convidados chegaram, uns falando holandês, outros falando alemão, e eu tentando me defender com o meu vergonhoso inglês – que é vergonhoso até hoje, admito. Mas foi uma noite divertida, parecia uma festa de embaixada, só que sem rigor algum. Ouvia-se Laurie Anderson e Elvis Costello, ambos haviam feito show na cidade dias antes. Fui dormir tarde da noite, numa pequena cama de armar que o casal providenciou dentro do seu ateliê. Foi mágico adormecer cercada por telas coloridas, cavaletes, tintas, pincéis – e um gato de estimação que se aninhou nos meus pés. Os dois eram muito talentosos. Charles não sorriu naquele dia, nem no outro, e nem quando anos depois veio morar no Brasil e formamos uma dupla de criação, enfim, nunca vi Charles sorrir, que belga mais enfezado, mas nos tornamos grandes amigos. Vera, ao contrário dele, era terna, doce, uma simpatia, sorria com o rosto inteiro. Um casal muito querido, que mais tarde teve dois filhos, morou algum tempo numa casinha em Porto Alegre e então se separaram. Como já disse, cheguei a trabalhar com Charles, até que ele foi para São Paulo, depois voltou para a Bélgica, nos correspondemos ainda por um tempo, e aí a comunicação foi cortada, não soube mais dele nem dela. Vera, onde anda você?

Próxima parada: Paris. Cheguei e fui direto para uma pensão de estudantes, onde um dos integrantes daquela turma dos *Friends* de Bombinhas estava morando. Mal entrei no casarão, Fernando disse: larga tuas coisas lá em cima e vamos jantar na casa de um amigo meu, vamos assistir ao jogo do Brasil. Jogo do Brasil, entendi bem? Era 1986. Copa do Mundo! Quinze minutos em Paris e eu já estava dentro de um ônibus indo para o apartamento de um cara que não conhecia para assistir a um jogo que nem sabia que estava acontecendo. Mas adorando tudo, claro.

O tal amigo do Fernando era cabeleireiro (quem não é, em Paris?) e trabalhava para um grupo de teatro. Ofereceu ingressos para Fernando e eu assistirmos sua peça na noite seguinte, um clássico de Molière. Em francês, logicamente. Na noite seguinte, lá estávamos os dois sentados na plateia, mas Fernando não era chegado em teatro e eu não entendia uma única palavra do que os atores falavam, então ele me cochichou: "Vamos sair daqui e passear de barco pelo Sena? Vai dar tempo de estar de volta na saída da peça e encontrarmos o nosso anfitrião para jantar. Ele nem vai perceber que não assistimos a essa chatice". *Oui, monsieur*. Saímos de fininho e fizemos um passeio fluvial naquela inspiradora noite de verão, eu completamente deslumbrada com a beleza da cidade. Porém, ao encerrar o passeio, erramos o ponto de descida do barco, estávamos muito longe do teatro, e o relógio era implacável, tic-tac, faltava pouquíssimo para a peça terminar e tínhamos um encontro marcado. Qual a solução? Ué, correr.

Correr???

Fernando era maratonista, esqueci de comentar. Me pegou pela mão e me fez sair em disparada em direção ao teatro. Deve estar parecendo poético o casalzinho correndo pelas margens do Sena. Quá! Eu pensei que iria estrebuchar. Ele com um preparo físico de atleta, e eu de minissaia, sapatilha e um preparo físico de publicitária. Mas chegamos a tempo de nos misturar com o povo que começava a deixar o Théâtre National de Chaillot. Encontramos nosso amigo. "Gostaram da peça?", ele perguntou. Nós ofegávamos: "A melhor que já vimos". O tal amigo deve ter se perguntado o que fizemos de tão empolgante sentados nas poltronas por duas horas. Boa coisa não haveria de ser, estávamos molhados de suor, como se tivéssemos atravessado o Sena a nado. Deixamos que ele fantasiasse à vontade.

Amei Paris, ela estava à altura da minha imaginação, o que é muito raro, já que nossas expectativas costumam pairar acima da realidade. Os quadros impressionistas, a Sacré Coeur, as ruazinhas estreitas do Quartier Latin, e mais do que tudo, a imponência da torre Eiffel, tudo era como eu previa. Minto: a Torre Eiffel estava além das minhas projeções, não a supunha tão enorme nem tão deslumbrante. Paris era romântica, feminina, aberta. Mas meu coração já estava definitivamente fisgado por Londres e sua elegância andrógina, e sou fiel a essa paixão até hoje.

PRIMEIRA VEZ NA EUROPA

PARTE 2

De Paris, peguei um trem noturno para Madri – truque clássico para economizar diária de hotel. Falei hotel? Diminua algumas estrelas. Me hospedei num hostal, uma espécie de pousadinha simples, porém bem situada, numa transversal da Gran Via. Muito sol e calor em Madri. Foi a primeira vez em que estive completamente sozinha na Europa, já que em Londres eu tinha a minha melhor amiga, em Paris contava com o Fernando, e, na Bélgica, havia Charles e Vera. Em Madri, se eu levasse um tiro no meio da rua, seria enterrada como indigente – supondo que não portasse passaporte. Não achei ruim a sensação. O anonimato completo nos conduz a uma introspecção inspiradora.

Mas me sentia livre em termos. Meu coração estava no Brasil, morria de saudade do meu namorado. Se antes de embarcar eu estava confusa, a fim de dar um tempo, ao chegar à Europa não tive dúvida da importância que ele tinha para mim. Sempre que possível eu telefonava (a cobrar, que danada), ainda que nem cogitasse voltar antes de concluir a viagem.

Em Madri, caminhei pela Plaza Mayor, desfrutei do belo Parque del Retiro, passei uma tarde inteira no Museu do Prado, furunguei umas bugigangas na Feria del Rastro, passei uma tarde na cidade vizinha de Toledo, mas o programa mais excitante foi esse mesmo que você está pensando. Esse mesmo. Estou lendo seus pensamentos: "não acredito, ela vai falar das touradas". Se lhe ofende, pule essa parte.

Na verdade, os espanhóis não chamam de tourada, e sim de "corrida de toros". Pois num domingo à tarde fui para a Plaza Monumental de Las Ventas, que é o Maracanã madrilenho. Não tinha ideia se iria gostar ou não. Sabia que o espetáculo durava duas horas e que seis touros eram sacrificados: 20 minutos para cada exibição. Encontrei meu lugar na arquibancada, ao sol, que era mais barato (na sombra é mais caro), e minha respiração começou a ficar ofegante. Parecia que eu iria ver gladiadores enfrentando leões ou qualquer coisa medieval assim. Quatro da tarde, eu quase derretendo. De repente, as cornetas tocaram, o silêncio se fez e meu coração parou. Uma porteira se abriu e um touro de uns 500 quilos, ou mais que isso, adentrou na arena em disparada, bufando. Meu coração continuava parado.

E então tudo se deu. Não descreverei cada momento porque respeito a grande maioria de leitores que rejeita a prática, mas não vou me fazer de santa: foi das coisas mais intensas e emocionantes que já assisti, uma tradição milenar que diz muito da cultura não só daquele povo, mas de persas, celtas, romanos, gregos, egípcios, maias, astecas, africanos, indianos, árabes e aborígenes – um rito universal que representa a luta primitiva do homem contra a besta e contra si mesmo. Parecia uma ópera a céu aberto. Um balé. Com direito à música, figurino, gestual, tudo de um impacto tamanho e movido por uma sedução que contrasta com a violência da cena – por isso é tão instigante. Ao fim do primeiro ato (a morte do primeiro touro), eu estava com a mão sobre os olhos, mal enxergando. No segundo touro, meus dedos da mão se entreabriram possibilitando a visão. No terceiro touro, eu já estava entendendo as regras do jogo e não tapava mais os olhos. No quarto, quinto e sexto touro, levantava e gritava olé como se tivesse sido ninada ao som de castanholas. Nunca mais vi nada tão visceral, tão elegante e tão viril. Uma experiência para não se esquecer.

Passou, passou.

De Madri, viajei a madrugada inteira até Barcelona com outro papelzinho mágico na carteira. Assim que o trem chegou à estação, procurei por um telefone público e disquei para os nomes premiados: Rui e Bia, brasileiros amigos de um amigo. Viva a cara de pau. Rui atendeu e, mesmo sendo sete horas da manhã, não parecia incomodado. Me deu seu endereço e em 10 minutos eu estava tocando a campainha.

Entrei no apartamento um tanto acanhada, Bia não estava. Ele me perguntou se eu tinha fome. Eu estava azul de tanta fome. Ele então me convidou para tomar o café da manhã com ele. Entre sucos, torradas e queijos, eu e Rui nos tornamos amigos de infância, até que no meio daquela algazarra, ouvi o barulho da chave na fechadura da porta. Bia entrou e se deparou com seu marido tomando café da manhã com uma sirigaita que ela nunca tinha visto na vida. Rui, meio sem noção, disse com seu melhor sorriso: "Amor, essa é a Martha, ela vai ficar uns dias com a gente". Tive vontade de mergulhar dentro do açucareiro. Bia nem me olhou, apenas disse: "Rui, chega aqui, vamos conversar". E sumiram os dois. Eu comi mais uma torrada e comecei a planejar onde iria dormir aquela noite, pois Bia visivelmente não havia gostado da ideia de ter uma hóspede. Pensei até em ir embora sem me despedir, para poupá-los de me rejeitar cara a cara, mas ainda havia um pedaço de queijo dando sopa e então... Eles voltaram para a sala.

Bia parecia um pouco mais calma. "Então tu é amiga do Marcelinho?" Falou como se o Marcelinho, que me havia fornecido o telefone deles, fosse um traficante procurado pela polícia. "S-so-ou." Ela se aproximou e disse olhando fixo nos meus olhos: "Ele nos deve 20 dólares". Coitada, estava delirando se achava que eu iria pagar a dívida, 20 dólares para quem estava viajando com uma merreca era grana suficiente para jantar e almoçar no dia seguinte. E se fosse blefe? Respondi: "Vou lembrá-lo disso". Rui sorriu com a cena e disse que eu poderia ficar, havia um colchão sobrando no quarto de banho. E pela primeira vez entendi o que era um quarto de banho: um aposento com uma banheira no meio, onde, aliás, cogitei seriamente em me acomodar , já que o aspecto do colchão disponível não era dos mais higiênicos. Mas no uni-duni-tê, deu colchão mesmo.

De Barcelona, guardei na lembrança os prédios de Gaudí, o Museu Picasso, as Ramblas, a Fundação Miró, a

Sagrada Família, muita caminhada, e uma noite que, não sei como, fui parar num boteco lotado de brasileiros fazendo o que, o quê? Vendo outro jogo da seleção. Copa do Mundo, te acuerdas?

De Barcelona fui para Munique, do outro lado do mapa. Uma viagem tão longa que, quando chegar lá, aviso.

PRIMEIRA VEZ NA EUROPA

PARTE 3

Cheguei em Munique com outro papelzinho na carteira, mas esse não iria provocar grandes constrangimentos: era o nome de uma prima que morava lá há séculos, praticamente se transmutou numa alemã. Eu não a conhecia pessoalmente, ela era mais íntima dos meus pais. Bem mais velha do que eu (mas, provavelmente, mais moça do que sou agora). Na estação, liguei para ela, avisando: cheguei. Ela me disse que eu ficasse onde estava, iria me buscar, morava perto. O nome dela era Madalena.

Fomos para seu pequeno e aconchegante apartamento. Tivemos nossa primeira e única discussão: ela queria que eu ficasse com seu quarto, enquanto ela dormiria no chão da sala. Recusei veementemente. Não tinha cabimento. Ela trabalhava fora, saía cedo de casa, não fazia sentido dormir com desconforto, enquanto eu não tinha horário pra nada, estava de férias e graduada em me acomodar em qualquer cantinho. Sem falar que ela era uma senhora (glupt). Falei, argumentei e venci: ela ficou no quarto dela.

Madalena era militante do Partido Verde. Dois meses antes, havia acontecido o pior acidente nuclear da história, em Chernobyl. A nuvem de radioatividade assustou o mundo. 200 mil pessoas tiveram que ser evacuadas de suas casas, de suas cidades. Madalena não falava de outra coisa, estava chocada. A Alemanha inteira, aliás, estava mobilizada pelo assunto, e lembro que nossos papos foram muito conscientizadores, pois era uma época em que pouco se falava sobre meio ambiente. Quando não estávamos conversando sobre ecologia e política, eu perambulava pela cidade, sozinha, mas menos encantada do que já havia estado em outras cidades europeias. A Alemanha é um sonho, mas não faz bater um único músculo do meu coração. O melhor dessa passagem por Munique foi um dia em que peguei um trem e fui passar a tarde em Salzburg, na Áustria. Falando assim, parece uma megaviagem, mas era um pulo. Visitei a casa onde morou Mozart e curti à beça aquela pequena cidade que parecia de contos de fada.

Me despedi de Madalena e nunca mais a vi. Trocamos cartas por um tempo. Depois apenas cartões de Natal. E depois, nem isso. Foram muitos e muitos anos de silêncio. Meses atrás, fiquei bastante triste ao ser informada pelo meu pai que ela havia falecido.

De Munique fui a Lausanne, na Suíça, e adivinhe: sim, havia outro papelzinho mágico na carteira. O nome do premiado dessa vez era Jacques, amigo de um amigo, pra variar. Já estava avisada de que ele arranhava o português. Perfeito. Liguei para o Jacques da estação ferroviária, dei o meu desdobre de sempre e fui convidada a visitá-lo. Quando cheguei, simpatizamos de cara um com o outro. Mas ele não era tão cavalheiro quanto Madalena, nem cogitou em me oferecer seu quarto, direto me apresentou seu sofá de dois lugares, na sala, e providenciou um travesseiro. De graça, vou reclamar? Só que ainda não era hora de se recolher. A cidade estava fervilhando, era época do Festival de Verão, e em cada praça, cada esquina, cada canto daquela linda cidade havia apresentações artísticas as mais variadas. Que noite. Depois de jantarmos num localzinho ao ar livre e muito animado, assistimos a um espetáculo de dança que me deixou extasiada, nunca havia visto nada mais moderno e mais empolgante – tudo isso num pátio público, a céu aberto. Absolutamente fascinante. No dia seguinte teria mais. Hora de dormir em posição fetal.

Acordei moída. O sofá de dois lugares era ideal para frequentadores de creches. Não dormi quase nada, e Jacques percebeu. Foi então que meu anfitrião veio com uma solução inesperada. Disse que seus vizinhos haviam viajado e deixado a chave com ele, para que fosse entregue à faxineira. A faxineira já havia feito o serviço. Ele me deu a chave. Toma. Dorme direito essa noite.

Entrei no apartamento feito uma ladra. Deixei minhas coisas num canto da sala e saí pra rua com Jacques novamente. Mais shows, mais dança, mais teatro. Quando voltamos, ele foi para o apê dele e eu para o "meu". Entrei no quarto do casal, aquela cama aconchegante me chamando, vem, vem, mas aí olhei os porta-retratos, vi o rosto daqueles dois estranhos e pensei: não. Adivinhe onde dormi. Exatamente. No sofá da sala. Ao menos, era de três lugares.

Um querido, o Jacques. Acho que era gay.

De Lausanne fui a Zurique. Me hospedei numa pensão que curiosamente se chamava Martahaus e me entreguei à cidade. Era tudo muito alegre, muito movimentado, muito vibrante – características nem sempre associadas à Suíça. Lembro de ter permanecido horas num parque vendo uma garotada dançando reggae, jogando frisbee, namorando, andando de bicicleta. Ao cair da tarde, me aproximei da margem do lago que banha a cidade e fiquei olhando para as águas por um longo tempo, e senti uma plenitude muito rara, uma sensação de felicidade difícil de explicar. Desculpe o lugar-comum, mas não vou nem tentar dizer de outro modo: eu havia finalmente encontrado a mim mesma. Era o que estava buscando desde o início.

Caminhando serenamente de volta à pensão, parei numa agência telefônica e liguei para o Brasil. Foi quando meu namorado me deu um ultimato: "De Zurique, vá direto a Cannes. Estou chegando". Ele era publicitário, assim como eu, e havia conseguido que a agência em que trabalhava o enviasse para o Festival Mundial de Publicidade, com todas as despesas pagas. De lá, ele sairia de férias comigo. Não, não achei nem um pouco invasivo. Adorei. Estava faltando romance no meu tour.

Cheguei a Cannes e me dei conta de que não sabia em que hotel ele estava, nenhuma pista. Eu tampouco pude dizer a ele onde iria me hospedar, já que nunca sabia de antemão. Larguei minhas coisas numa pousadinha mequetrefe e resolvi caminhar pela Croisette, a avenida mais chique da cidade, à beira-mar. Lá estavam os hotéis cinco estrelas que costumavam hospedar os participantes de festivais. Entrei nuns três, perguntei se havia reserva em nome dele, mas não estavam autorizados a dar essa informação. Putz. Deixei o nome da minha espelunca anotada num papel em vários desses hotéis, aos cuidados dele. Aí dei uma circulada pela cidade, tomei um lanche e à noitinha voltei para a pousada. Para minha surpresa, havia um grupo de franceses no saguão que impediram que eu subisse para o quarto, insistiram para que eu ficasse com eles vendo televisão. Mas que raio está passando na tevê? Ora. Jogo da seleção, óbvio. Brasil x França. Eu, a única brasileira na pousada, contra eles todos. Puxei uma cadeira.

Assisti ao jogo até o fim. Deu empate, 1x1. Aí me despedi de todos, *bonsoir, bonsoir,* e eles colocando a mão na cabeça, dizendo qualquer coisa parecida com "Não suba para o quarto, sua demente, não justo agora!" Fiquei comovida com a atenção dispensada, mas mantive minha decisão, subi e dormi. A desorientada aqui não sabia que haveria prorrogação e disputa de pênaltis. Zico chutou a bola nas mãos do goleiro e o Brasil voltou para casa sem o troféu, quem viveu, lembra. Mas não vi nada disso. Zzzzzzz. Quem mandou não ser poliglota.

Quando eu acordar, conto o emocionante dia seguinte.

PRIMEIRA VEZ NA EUROPA

PARTE 4

Acordei com um belo dia de sol em Cannes, sem notícias do namorado que estava por chegar. Fazer o quê? Praia! E lá fui eu para o pedacinho de areia pública que me cabia – a maior parte da orla de Cannes está reservada para os hóspedes dos grandes hotéis. Plebeus têm que se contentar com um cantinho de areia, mas para mim era suficiente. Sozinha da silva, sem nenhum conhecido por perto, tirei a parte de cima do biquíni e fiz meu primeiro topless.

Depois de pegar um bronzeado, caminhei, comi um cachorro-quente, caminhei mais um pouco, e ainda mais um pouco, gastei a tarde caminhando e mais um pedacinho de noite, até que passei num McDonald's, peguei um quarteirão com queijo e voltei para o meu hotelzinho mequetrefe, onde todos ainda festejavam a vitória da seleção da França contra o Brasil. Subi para meu pequeno quarto e comi meu lanche sentada na cama, parecia uma daquelas figuras solitárias dos quadros do Edward Hopper, enfim, uma abandonada por Deus, pobre de mim, até que o telefone tocou. Ué. Atendi dizendo "alô", que é linguagem universal. Do outro lado da linha, o porteiro disse uma frase incompreensível. Outro jogo do Brasil não havia. Aquele telefonema só podia significar uma coisa. Desci correndo pelas escadas. Ninguém no hall. Saí porta afora, olhei para os dois lados da calçada. Ninguém. Até que olhei em frente, para o outro lado da rua. Ele.

Corta. Parte imprópria para menores.

Dia seguinte, depois de ter passado a noite comigo naquela pocilga, meu namorado me fez fechar a conta e me levou para o hotel onde estava hospedado. *Mon Dieu!* Era um daqueles cinco estrelas à beira-mar. Tive vergonha de entrar no lobby com meus jeans surrado, que eu usava há mais de 30 dias consecutivos sem lavar. Mas dane-se, ninguém merecia uma mordomia tanto quanto eu. Quando entrei no quarto, quase chorei de emoção. Era gigantesco, todo branco. No banheiro, dezenas de cremes Hermès. Uma banheira que era uma piscina. Vista para o Mediterrâneo. Lençóis de linho, travesseiros de pena de ganso. Imagine o que isso significava para quem estava há tanto tempo dormindo em colchões no chão, assentos de trem e sofás na sala.

Passamos cinco dias no bem-bom. Ele saía de manhã para "trabalhar" (assistir centenas de palestras e filmes publicitários) e eu ia para a praia (dessa vez, privê), onde tirava férias das férias. À noite, jantávamos bem demais, tudo por conta da agência, bendita agência. Tirei a barriga da miséria.

Até que chegou a hora de pegar a estrada de novo. Por nossa conta e risco. Next stop: Roma.

Dali pra frente, nada de papeizinhos mágicos – eles funcionavam apenas para uma única hóspede. Para casal, seria abuso. Nos hospedamos numa pensão grudada na Piazza di Spagna, com uma janela com vista para a via Condotti – como é que a gente conseguia essas barbadas, não me pergunte. Conspirações cósmicas.

Fizemos o circuito turístico completo, como todo visitante inaugural: Fontana di Trevi, Coliseu, Piazza Navona, Campo dei Fiori e, lógico, a Basílica de São Pedro, onde fui a única de nós a entrar e conhecer a Capela Sistina, pois meu acompanhante estava de bermuda e não era permitido o uso de trajes tão informais. Hoje em dia, ao voltar a essas cidades, desfruto o prazer de não ter mais a obrigação autoimposta de conferir o que todos devem conferir: as atrações assinaladas nos guias. Estive em Roma recentemente, aluguei uma bicicleta e saí a pedalar pela cidade às 7h30 da manhã de um sábado, apenas para desfrutar o vazio das ruas, sem trânsito, sem turistas, sem barulho, apreciando detalhes que costumam passar despercebidos em meio ao tumulto. Mas isso se conquista com o tempo.

Adiante: Florença. Ficamos num hotelzinho perto da estação ferroviária. A cidade me pareceu encantadora. Foi lá que vi o Davi, de Michelangelo, na Galleria dell'Academia. Impressionante o tamanho e a perfeição das formas. Foi o meu momento sagrado na Itália: não vi o Papa em Roma (não dessa vez), mas vi o Davi em Florença. Que impacto. Ali passei a respeitar e admirar para sempre as esculturas.

De Florença, fomos a Veneza, um dos lugares que eu mais desejava conhecer. Quando descemos do trem e nos direcionamos para a saída da estação, a vista foi de matar: uma enorme basílica, diversos sobrados em tons ocre, rosa, amarelo, laranja, e aquele canal de águas verdes onde os gondoleiros passavam com suas camisetas listradas e suas calças claras, cantando: "O, sole mio...". Só podia ser um sonho. A gente se hospedou num hotel logo ao lado da estação, um prédio caindo aos pedaços, mas o quarto era amplo, com uma cama que parecia do século XII e um espelho todo lascado com uma moldura dourada, e havia um pequeno balcão que dava para o canal. Veneza parecia uma miragem. Até hoje me custa acreditar que ela está lá onde está, mágica, onírica, enquanto estou aqui, na minha vulgar existência.

De Veneza, fomos para Luxemburgo. Agora me diz: quem conhece Luxemburgo? Existe Luxemburgo? Invenção do meu namorado, que gostava de estranhezas. Mas ele venceu meu desdém porque, para sua sorte, chegamos também num dia de festival e assistimos a uma performance incrível, ao ar livre, ao estilo Cirque du Soleil quando nem se falava em Cirque du Soleil. Na Europa, os verões transformam as cidades em palcos para as mais variadas manifestações artísticas. Essa apresentação valeu a única noite em que lá dormimos.

E então, a cereja do bolo: Amsterdã. A cidade mais bem-humorada da Europa, com suas casinhas inclinadas, uma amparada na outra, em total bebedeira arquitetônica. Alugamos duas bicicletas e percorremos toda a cidade. Entornamos muitas Heineken, visitamos o extraordinário museu Van Gogh, lagarteamos (quem não for gaúcho, leia "tomamos banho de sol") no parque Volendam, visitamos os mercados de flores, assistimos a shows de rock em botecos onde não cabiam mais do que 16 pessoas, experimentamos os produtos típicos locais e finalmente voltamos para Londres, onde tudo havia começado pra mim.

A seguir, a despedida da viagem.

PRIMEIRA VEZ NA EUROPA

PARTE 5

De volta a Londres, não fomos para o apartamento da Daphne, e sim para um dos milhares de bed & breakfast administrados por indianos. Barato. Baratíssimo. Sem baratas, mas quase. Entramos no quarto e estranhamos aquele lençol petit-pois, lotado de bolinhas pretas. Jogamos nossas mochilas em cima da cama e surpresa: as moscas decolaram, tomaram conta do espaço aéreo. Petit-pois, a-hã. Moscas, centenas delas. Abrimos as janelas e decidimos: vamos jantar. Ai delas se ainda estiverem aqui na volta.

Me restava apenas dois dias na cidade, já estava com a passagem comprada de retorno ao Brasil. Meu namorado, ao contrário, ainda tinha uma semana de férias, e era o seu momento de ficar sozinho, curtir por mais tempo a Londres que ele ainda não conhecia e a Paris que pretendia ir em seguida. Entendi e dei força: ora, ora, direitos iguais. Em nossa última noite juntos em Londres, assistimos a um show intimista de Joe Pass, guitarrista de jazz norte-americano que se apresentava na lendária Ronnie Scott's. Se meu namorado havia me acompanhado ao Rock in Rio, nada mais justo que eu o acompanhasse nos seus próprios prazeres musicais, que se tornaram meus também. E dormimos com as estrelas, se é que a licença poética se presta: as moscas trocaram o lençol pelo teto do quarto. Um céu de mosquinhas. Quem liga, quando se está apaixonado?

Ele ficou na Europa, eu voltei.

Você deve ter reparado que falei muito pouco sobre as atrações turísticas das cidades europeias. Preferi privilegiar aqui as roubadas, as surpresas, os malabarismos que se faz para sobreviver diante do inesperado. Viajar é a arte do improviso. Comentei, no início desses relatos, que sair por aí sempre foi terapêutico para mim e que esses dois meses na Europa me serviram como uma análise psicanalítica profunda. Até então, não conhecia quase nada da vida. Nem geograficamente, nem de mim mesma. Inquilina dos meus pais, só ao sair de casa para viajar é que descobri que alguns medos que eu pensava possuir eram herdados, não existiam de fato. Eu era muito mais destemida do que supunha.

Passei a dar valor a coisas mais simples, e ao mesmo tempo enormes: a boa vontade de estranhos, pra começar. Quantos de nós abriria a porta de casa para uma amiga de um amigo de um amigo, chegada do nada? O engraçado é que, no Brasil, nunca me senti à vontade ao me hospedar na casa dos outros, mesmo esses "outros" sendo parentes ou amigos íntimos. Mas longe, solta no mundo, constrangimento foi palavra que deletei do meu dicionário, e descobri que a necessidade altera nossos hábitos.

Solta no mundo. Usei agorinha essa palavra: solta. Sem as cordas que manipulam a marionete. Com vida própria.

Acordando pela manhã sem saber direito em que cidade do mundo adormeceria naquele mesmo dia. Almoçando só quando havia fome, fazendo só o que tinha vontade. Sozinha com meus pensamentos, com minhas atitudes, com meus receios novos – e dispensando os antigos. Aprendendo a viver com pouco dinheiro, a privilegiar o essencial. E aberta a conhecer tudo. Sem preconceitos, sem críticas, sem julgamentos. Não tenho dúvida de que essa viagem me ensinou a ser mais leve e menos acorrentada a ideias prontas.

Por fim, vivi dois tipos de viagem: por 40 dias, viajei sozinha. Nos outros 20, com namorado. Percebe-se a diferença. Na primeira parte, me expus mais, conheci mais gente, entrei no dia a dia das cidades. Na segunda parte, fiquei mais "protegida", digamos assim. Ao viajarmos acompanhados, a tendência é o casal se unir contra as adversidades, fechar-se em si mesmo e ter menos abertura para esquisitices e para explorações. Um cuida do outro, e o mundo passa a ser apenas um cenário onde eles circulam, a interação fica menos intensa. Não é uma queixa, é uma constatação. Viajei sozinha outras vezes. Para ser mais exata, outras três vezes. São experiências fascinantes e ricas, mas mesmo adorando minha própria companhia e curtindo a autenticidade que a solidão propicia, nada como viajar com o amor da nossa vida, mesmo que esse amor não seja para sempre. Outros amores vieram e virão, outras viagens também.

SANTIAGO DO CHILE, ANTES E DEPOIS

Em janeiro de 1988 eu estava de casamento marcado para dali a alguns meses, mas nem o fato de termos muitas despesas pela frente fez com que meu namorado e eu desistíssemos da ideia de fazer uma viagem de carro entre Porto Alegre e o Chile. Uma lua de mel antecipada. E foi o que fizemos, com dinheiro contado e um Gol verde-claro que já havia presenciado melhores dias, mas que mesmo assim resistiu à proeza.

Atravessamos o Uruguai e a Argentina até chegarmos em Mendoza, de onde começamos a travessia pela cordilheira dos Andes, que foi um coroamento da viagem até ali. Foram vários dias de paisagens deslumbrantes, em contato com o que de mais estupendo a natureza pode oferecer, até que, finalizada a travessia, chegamos numa caótica Santiago do Chile: barulhenta, poluída, indigesta. Dormir lá? Nem brincando. Continuamos na estrada até Viña del Mar, onde alugamos um chalezinho de um casal de pintores e passamos alguns dias convivendo com uma duna de areia gigantesca nos fundos da casa e o mar do Pacífico a nossa frente. Na hora de seguirmos viagem e descermos para o sul do país, em direção aos lagos, passamos reto por Santiago de novo. Não queríamos nada com a capital chilena.

Corta para 1993. Estamos casados há quase cinco anos e temos uma filha de dois. O agora marido chega em casa com uma notícia bombástica: havia recebido uma proposta de trabalho irrecusável para trabalhar no exterior. "Me diz que é em Londres!", respondi retirando o champanhe do freezer. "Em Santiago do Chile". Recoloquei a garrafa no lugar e disse "boa viagem", bem mal-educada.

No dia seguinte conversamos com mais calma sobre o assunto. Ele tinha em mãos duas passagens aéreas. A empresa estava convidando para passarmos quatro dias na cidade, por conta deles, sem compromisso. Se realmente não gostássemos, poderíamos desistir, não haveria constrangimento algum.

Hum. Simpáticos.

Embarcamos desconfiados e, duas horas e meia depois, desembarcamos eufóricos: o sobrevoo espetacular sobre a cordilheira foi o início da nossa mudança de opinião. Em terra firme, a cidade barulhenta, poluída e indigesta continuava barulhenta e poluída, mas indigesta, de forma alguma. Conhecemos bairros residenciais encantadores, visitamos vinícolas e centros de artesanato, passamos tardes em parques, fizemos um passeio até Valle Nevado, comemos superbem em restaurantes divinos. A cidade tinha segurança e qualidade de vida, um lugar bacana para se criar uma filha pequena. Ai, que dúvida.

Para encurtar a história, voltamos para Porto Alegre com o contrato assinado, sem contar nada para a família. Eu estava ligeiramente em pânico. Abandonaria meu emprego e me mudaria do país com uma criança de dois anos, tirando-a do convívio com a avó, que babava pela neta. Mas a proposta de trabalho era séria e muito bem remunerada, e sempre tivemos vontade de não só fazer turismo, mas viver de fato fora do país por um tempo. Não era Londres, mas era uma cidade de colonização inglesa, não servia?

Serviu. E como.

A ideia era passarmos dois anos lá. Durou menos, oito meses. O trabalho não era tão desafiador como prometia e meu marido acabou recebendo uma proposta mais atrativa para voltar ao Brasil, mas nunca nos arrependemos de ter encarado a aventura. Santiago é uma cidade incrível. Alugamos um belo apartamento cuja sala tinha vista para o cerro San Cristóbal, mas os fundos é que ofereciam a paisagem delirante. Eu tomava café da manhã numa cozinha toda envidraçada, olhando para a imponência da cordilheira, com seus picos nevados e róseos. Isso é que era começar bem o dia.

Em Santiago fui apresentada ao grande poeta amazonense Thiago de Mello, que na época era adido cultural da embaixada brasileira – almoçamos juntos um dia e ganhei dele um poema escrito especialmente para mim, um luxo. Em Santiago descobri a obra de Isabel Allende e Mario Benedetti – aliás, tive o prazer de vê-lo de soslaio numa Feira do Livro. Em Santiago conheci melhor a poesia de Pablo Neruda e uma de suas casas, La Chascona. Em Santiago vi shows do Living Colour, do Sting e do INXS, quando o vocalista Michael Hutchence ainda era vivo. Em Santiago aprendi a gostar de salmão, aprendi gírias latinas, desenvolvi um olhar atento para decoração, sofri de longe a morte do Senna, frequentei outlets, passei a usar cinto de segurança antes que fosse obrigatório, assisti a vários filmes do Wim Wenders, adquiri o hábito de pegar a nota fiscal de tudo e me dei conta de que as frutas brasileiras que vão para os nossos supermercados são muito inferiores às destinadas para exportação – e o mercado interno, como fica? As frutas chilenas, à disposição em qualquer mercadinho, são tão suculentas que parecem de mentira, poderiam ser fotografadas para um catálogo.

Pela primeira vez, desde os 19 anos, eu não trabalhava e tinha muito tempo ocioso, então aproveitei para caminhar a cidade toda, conhecer museus, ciceronear amigos que nos visitavam, descobrir livrarias (eram 40 só no bairro onde eu morava, fora os sebos) e passava as tardes escrevendo. Escrevi um livro de poemas inteirinho, e muitos textos que eu não conseguia classificar: eram comentários, desabafos, impressões. Não pensava em publicá-los, nem teria onde. Eu era apenas uma publicitária – inativa, mas era. Foi então que um amigo jornalista, em trânsito, voltando do Taiti, aportou lá em casa e ficou conosco três dias. Na hora de ir embora, pegou alguns textos meus e disse que mostraria para o diretor de redação do jornal *Zero Hora*, que na época era o Augusto Nunes. E sumiu.

Meses depois, ao retornar ao Brasil, encaixotamos apenas umas poucas gravuras, uns livros e uns tapetes. O resto vendemos tudo, e por tudo entenda-se: fogão, camas, louça, liquidificador, sala de jantar, aparelho de som, tudo o que compõe uma casa. Como eu não conhecia muita gente na cidade, meu marido anunciou o "bazar" no seu local de trabalho e esperamos sentados que alguém aparecesse. Sentados no chão. O sofá foi o primeiro que se foi.

Às vezes o interfone tocava às 11 da noite e era alguém que tinha escutado comentários de que ali estava se vendendo uma estante. Eu convidava pra subir e em dez minutos negociávamos um belo desconto. Além disso, eu sempre dava um abridor ou um saleiro de brinde, e lá se iam meus móveis e minhas bugigangas. Um troço maluco: estranhos entravam na minha casa e desfalcavam o meu lar, que a cada dia ficava mais nu, mais sem alma. No penúltimo dia, ficamos apenas com o colchão no chão, a geladeira e a tevê. No último, só com o colchão, que o zelador comprou e, compreensivo, topou esperar a gente ir embora antes de buscar. Ganhou de brinde os travesseiros.

Guardo esses últimos dias no Chile como a ocasião em que aprendi a irrelevância de quase tudo que é material. Nunca mais me apeguei a nada que não tivesse valor afetivo. Deixei de lado o zelo excessivo por coisas que foram feitas apenas para se usar, e não para se amar. Hoje me desfaço com facilidade de objetos, enquanto que se torna cada vez mais difícil me afastar de pessoas que são ou foram importantes, não importa o tempo que estiveram presentes na minha vida.

Em nossa última noite no apartamento, dormimos no mesmo colchão, eu, meu marido e minha filha, que àquela altura estava com quase três anos. As roupas já estavam guardadas nas malas. Fazia muito frio. Ao acordarmos, uma vizinha simpática nos ofereceu o café da manhã, já que não tínhamos nem uma única xícara em casa. Fomos embora carregando apenas o que havíamos vivido, as emoções todas: nenhuma recordação foi vendida ou entregue como brinde. Não pagamos excesso de bagagem e chegamos aqui com outro tipo de leveza.

Faltou dizer: o pessoal do jornal *Zero Hora* gostou dos meus textos, aqueles que meu hóspede havia levado de contrabando. Apresentada como cronista sem nunca ter sido, a partir do meu retorno iniciei uma nova profissão – e um novo futuro.

ME BELISCA, ESTOU NA GRÉCIA

Quando pequena, numa idade em que raciocinar não era o meu forte – ainda não sei se é –, meu sonho era seguir carreira de aeromoça e conhecer a Grécia, nessa ordem. Não demorou para eu perceber que o primeiro sonho não possuía paixão suficiente para se manter, mas o segundo era uma possibilidade, mesmo remota. Um dia, quem sabe.

O dia foi 28 de maio de 2002. Meu marido e eu voamos de Porto Alegre para São Paulo, e de lá para Frankfurt, e de lá para Atenas, e de lá para Mykonos num avião a hélice tão detonado que deixaria lívido até Indiana Jones. Mas a realização de sonhos exige coragem. Quando dei por mim, havia aterrissado numa ilha repleta de casinhas brancas com portas e janelas azuis, tal qual eu conhecia por cartão-postal. Só faltavam os pelicanos.

Assim que amanheceu, alugamos uma scooter cujo motor fazia um barulho temível e que apagava de meia em meia hora, mas quem se importa? Estava na Grécia. Me belisca.

Ignorando o vento que soprava incessante na ilha, saímos a conhecer suas enseadas mais idílicas, com nomes sugestivos como Paradise e Superparadise, onde os frequentadores pouco se importam com o vento e menos ainda com o pudor. Todos pelados como vieram ao mundo. Foi o primeiro contato que tivemos com a postura desestressada que caracteriza o estado de espírito grego. Bom, em tempos de crise financeira aguda, como a que eles vêm enfrentando em 2012, não se pode mais falar em ausência de preocupações, mas como esse livro não é uma reportagem sobre assuntos pontuais, prefiro manter o foco no que o país transmite de abstrato, isso que acabei de chamar de "espírito".

O ritmo imposto é de total easygoing, pressa não tem vez. O que não significa que seja uma ilha sonolenta, bem pelo contrário – Mykonos é reconhecida por ter uma noite que não termina, é das mais febris da Europa. Ainda assim, nem sempre cedo às exigências dos costumes locais. Minha adesão é negociada comigo mesma – algumas vezes, compensa ser camaleoa, mas dependendo da empreitada, me mantenho fiel aos meus dogmas. Passar a madrugada inteira dançando, por exemplo, está na minha lista de 100 coisas a *evitar* antes de morrer.

Encerrada a temporada em Mykonos, navegamos de ilha em ilha, de porto em porto, trocando de barco e de paisagem, até chegarmos finalmente na cintilante Santorini. Pausa para suspiro. Enxergar as vilas branquinhas instaladas em cima das vertiginosas falésias, do ponto de vista de quem ainda está em alto-mar, é de fazer um ateu rezar a Ave-Maria em hebraico.

Santorini é a principal ilha originada de um vulcão ativo que, ainda antes de Cristo, sofreu uma erupção tão explosiva que destroçou seu território, gerando ainda outras pequenas ilhotas que ficaram posicionadas de forma circular, dando a impressão de uma grande caldeira submersa.

Ao descer do barco e pisar em terra firme, alugamos um jipe e nos instalamos no hotel Canaves, que não só existe ainda, como recebeu uma recauchutada que o transformou numa das melhores opções de hospedagem da região. Não está na capital da ilha, Fira, e sim em Oia, um vilarejo menor e tranquilo. Nosso quarto não era um quarto, e sim um apartamento com vista deslumbrante para a *Caldera* e para o azul mais grego que já vi.

O pôr do sol de Oia pode ser considerado o Cristo Redentor local, não existe atração turística mais concorrida. À medida que o dia vai terminando, os moradores e turistas se acotovelam numa pontinha estratégica da vila a fim de contemplar a exuberância do segundo pôr do sol mais lindo do mundo – o primeiro é o de Porto Alegre, como todos sabem. É tudo tão sereno e relaxado que ninguém se deprime na Grécia nem que queira. E como se já não fosse sublime compartilhar com o povo esse fim de tarde alucinógeno, jantamos num restaurante chamado Ambrosia (que também segue lá), onde nos instalamos num altíssimo terraço ao ar livre, aos pés do mar Egeu, e ficamos observando um iate ancorado com suas luzes acesas, burburinho de gente feliz no convés, música tocando, enquanto bebíamos vinho e jantávamos à luz de velas – um desaforo de bem viver.

Santorini. Aperitivos à base de anis, mulas que servem de meio de transporte para subir as íngremes ladeiras, a vista do mar azul para qualquer direção que se olhe, praias de areia escura e aspecto dramático por conta dos penhascos, muitas capelas brancas, casas brancas, lojinhas brancas e rostos bronzeados de gente que um dia se deslumbrou com aquela paz e nunca mais voltou para seu lugar de origem. E sorrisos. Os gregos sorriem. A vida sorri.

De Santorini, voo em outro avião a hélice para a ilha de Rhodes, onde seguimos em direção à praia de Lindos, que não poderia ter outro nome. Lá tivemos acesso a uma amostra do paraíso: a baía de St. Paul, uma enseada com águas cristalinas de um azul milagroso – Zeus existe. Dá vontade de nunca mais pecar para merecer a eternidade. A Grécia exerce esse feitiço, nos faz abstrair da vida real e mundana.

Uma vez em Rhodes, é obrigatória uma visita ao porto de Mandraki e, havendo disposição, se perder no labirinto das muralhas da cidade antiga até chegar à praça principal, rodeada por cafés e quiosques. Estando lá, desça a rua dos Cavaleiros e visite o Palácio dos Grãos-Mestres, cujo atrativo é o belo pátio central e os mosaicos no chão, originais do tempo em que Sócrates e Platão eram bebezinhos. E há ainda a Anthony Quinn Bay, batizada assim em homenagem ao ator que interpretou Zorba, o Grego. Se bem que, a essa altura, não fará diferença, é mais uma praia deslumbrante, qual a novidade?

Os guias de turismo costumam recomendar o Vale das Borboletas, mas caminhei léguas e léguas no meio da selva e não vi borboleta alguma, I want my money back.

Depois de tanta natureza, hora de conhecer a capital do país. Chegamos na tumultuada Atenas numa manhã de muito calor. Ficamos hospedados no ótimo hotel Divani, cujo terraço no último andar oferece uma vista panorâmica de respeito: a Acrópole. Mas antes fomos conhecer o bairro de Plaka, com suas tavernas, lojas de artesanato e ruínas ancestrais, tudo convivendo amigavelmente em meio à efervescência da região.

Dessa vez não estávamos com ânimo para explorar a cidade inteira a pé, então resolvemos fazer um tour guiado na manhã seguinte, e foi muito proveitoso: conhecemos o estádio onde foram realizadas as primeiras Olimpíadas, em 1896 (fiquei encantada com as arquibancadas em mármore) e conhecemos o templo ao Zeus Olímpico, com suas impressionantes colunas de 16 metros de altura em estilo Corinto. Mas o que estava me excitando de fato era a visita ao Parthenon, que até então eu só avistara de baixo pra cima, e de longe.

Acrópole significa "cidade alta". Há várias na Grécia, mas a única que merece o nome com o artigo definido na frente – A Acrópole – é a de Atenas, situada em cima de uma colina que fica 150 metros acima do nível do mar e que é formada por várias edificações, entre elas o Parthenon.

O Parthenon é um dos mais importantes monumentos culturais do mundo, símbolo da democracia desde a Grécia Antiga, todo esculpido em marfim e ouro e parcialmente detonado após a explosão de um depósito de munição, em 1687. Mas o que restou ainda é enorme e eterno.

Fiquei impactada com tudo: o teatro de Herodes, o museu da Acrópole (principalmente com as estátuas das cariátides) e com a vista de Atenas que se tem lá de cima: a cidade é esparramada e infinita.

Ao final da tarde, resolvemos dar uma relaxada na beira da piscina do hotel e percebemos que havia diversas moças longilíneas por ali, todas muito delicadas, fazendo alongamentos, e não demorou para percebermos que eram bailarinas. Curioso. Foi então que resolvi prestar mais atenção num senhor de cavanhaque sentado à mesa ao lado, falando francês e a quem elas prestavam profunda reverência. Seria possível? Não só possível, como evidente. Era Maurice Béjart, um dos maiores coreógrafos do planeta. Corri até o saguão do hotel em busca da programação cultural da cidade, e logo encontrei a informação que buscava: naquela noite haveria uma apresentação do seu grupo, adivinhe onde: no teatro de Herodes, ao ar livre, em plena Acrópole. Saí feito um foguete atrás de ingressos e, como Zeus existe, consegui, aos 46 minutos do segundo tempo. Tão em cima da hora, não seria possível arranjar um assento privilegiado, me alertou o moço da bilheteria. Ora, mesmo sentados na última fila, não haveria privilégio maior.

Às 21h estávamos instalados em nossos lugares, com o céu sobre a cabeça, assistindo ao dia findar: o sol recém começava a se pôr. Sentamos bem no topo onde termina a extensa escadaria que forma a plateia desse magnífico teatro romano, todo feito em mármore e pedras. Vimos a cidade inteira ficar cor de laranja. Aos poucos, as luzes de Atenas, ao longe, começaram a acender. O programa principal ainda nem havia começado e eu já me sentia grata por estar simplesmente ali, em comunhão com a magia do local.

O espetáculo iniciou com uma homenagem (fria) aos gregos, e em seguida um casal dançou com todo vigor um número de flamenco, esquentando a noite. O segundo ato teve bons momentos, mas foi uma apresentação mais de técnica do que de criatividade. De qualquer forma, o cenário histórico e a oportunidade de ver um dos maiores nomes do balé contemporâneo apresentando uma de suas últimas criações fez deste um dos programas culturais inesquecíveis das minhas andanças por aí. Béjart faleceu em 2007.

De novo, dentro de um avião. O comandante avisa que iremos aterrissar dentro de 3 minutos. Da janela, posso ver os diversos minaretes da cidade. Estamos chegando a Istambul.

ISTAMBUL: MEIO EUROPA, MEIO ÁSIA

Não foi através das aulas de história que Istambul entrou pela primeira vez no meu imaginário, e sim quando assisti ao filme *Expresso da Meia-Noite*, muitos anos atrás. Fiquei com a ideia de que era uma cidade que cheirava a encrenca. Descobri que na verdade ela cheira a pistache, amêndoa e café. Encrenca só vi no trânsito. Mistério, vi em toda parte.

Ainda que a capital da Turquia seja Ancara, é de Istambul que todos falam e para onde todos querem ir, atraídos pela sua singularidade: uma metrópole cortada pelo canal de Bósforo, ficando uma metade na Ásia e outra na Europa. As duas metades, no entanto, se confundem. Nas ruas, mulheres de vestidos decotados caminham ao lado de mulheres enfurnadas em burkas, mesmo com uma temperatura de 37 graus. O verão é muito quente e úmido, e neva no inverno. O clima é apenas um de seus extremos.

A suntuosidade dos palácios, mesquitas e basílicas contrasta com a sujeira das ruas e a humildade do povo: não se vê sultões andando de BMW pelas avenidas. Depois de ter sido a cidade mais rica do mundo cristão, quando ainda se chamava Constantinopla, hoje o luxo de Istambul está confinado no Topkapi, antiga residência imperial formada por diversos pavilhões e pátios internos. Lá estão, abertos à visitação, os tesouros do império otomano (jarros incrustados com pedras preciosas, adagas de ouro e esmeraldas que humilhariam os anéis de Elizabeth Taylor) e o harém onde o sultão guardava outras joias: suas roliças e fogosas concubinas. Grande parte do Topkapi é hoje um parque público, com jardins bem cuidados, situado no bairro mais atrativo para os turistas: Sultanahmet.

De frente uma para a outra, a Mesquita Azul e a Basílica de Santa Sofia competem em majestade. A primeira, com seus seis minaretes apontados para o céu, é internamente recoberta de azulejos e de silêncio: entra-se sem os sapatos, mas não sem respeito. De maio a setembro, assim que começa a escurecer, nativos e turistas se unem na praça em frente para assistir ao espetáculo de som e luzes projetadas sobre a mesquita. Enquanto uma voz narra, através dos alto-falantes instalados nos minaretes, a história da sua construção (cada noite em um idioma diferente), música e canhões de luz tentam preencher os olhos atentos da plateia. Tentam. Não estou segura da satisfação da clientela: as gaivotas que sobrevoam a mesquita me pareceram mais atraentes do que os tímidos efeitos luminosos.

A Basílica de Santa Sofia, por sua vez, também impressiona por fora, com seus tons de terracota, mas principalmente por dentro. Ao entrar em sua nave principal, o fôlego desaparece, a cabeça se ergue e a gente não cai de joelhos por detalhe. É vertiginoso. Tudo é mega: a altura da cúpula, os mosaicos, as colunas, os balcões e os estupendos medalhões caligráficos pendurados nas paredes.

Ainda em Sultanahmet, na esquina da Santa Sofia, uma bilheteria acanhada vende ingressos para uma aventura subterrânea: a visita à Cisterna da Basílica. Desce-se por uma escadinha e de repente estamos embaixo da terra, em quase absoluta escuridão, entre colunas de mais de 8 metros de altura e com pingos caindo lenta e educadamente sobre nossas cabeças. Trata-se do antigo reservatório de água da cidade. Passarelas molhadas nos conduzem entre as 336 colunas bizantinas, ao som de música new age. Mais uma extravagância da cidade.

Deixando um pouco de lado as obras monumentais, há vida prosaica em Istambul. No bairro de Beyoğlu está a Torre de Gálata (é recomendável uma subida para curtir a vista de 360 graus da cidade) e a larga avenida İstiklâl Caddesi, um calçadão onde você descobre que nem só de tapete vive o comércio do país. Aqui estão diversas lojas de instrumentos musicais, butiques de grife, livrarias, sorveterias e o interessante Çiçek Pasaji, que nada mais é do que uma alameda fechada até o teto onde estão diversos restaurantes e cafés típicos. No final da avenida chega-se à praça de Taksim, que é a região cosmopolita de Istambul, mais comum a nós, 100% ocidentais – se é que se pode chamar de comum qualquer lugar onde as palavras começam com cedilha.

Ainda falando da İstiklâl Caddesi, em uma de suas travessas está o lendário hotel Pera Palas, que hospedava os passageiros mais ilustres do trem *Expresso do Oriente*, mas que ficou conhecido mesmo por ser uma espécie de segundo lar da escritora Agatha Christie.

Há muitos hotéis espetaculares em Istambul, mas nada como se hospedar numa antiga mansão otomana restaurada, para não fugir do espírito da cidade. Na pequena e tranquila rua de pedra Soğukçeşme Sokaği, espetacularmente bem localizada em Sultanahmet, há uma série destas casas que viraram pensões e hotéis, sendo o mais charmoso deles o Konuk Evi. Não se aflija: fiquei hospedada lá e em nenhum momento foi preciso dizer em voz alta o nome da rua, que é realmente impronunciável. Cheguei e parti de Istambul sem saber dizer obrigado em turco. Tentei decorar, treinei em casa, mas na hora não saiu: é teşekkür ederim (com cedilha no s!!) Mas sabendo dizer obrigado em inglês, ninguém se aperta. A maioria das pessoas com quem o turista se relaciona fala um inglês básico. Principalmente os comerciantes. Estes, se preciso for, falam até português, desde que você compre deles um legítimo kilim.

A cidade é toda atapetada. Tem tapetes nas calçadas, nos bares, em cima de mesas e cadeiras, saindo pelas janelas, é tapete para tudo quanto é lado e o efeito visual é bonito à beça. Impossível sair da cidade sem levar ao menos um. Em Sultanahmet, o melhor lugar para adquiri-los é no Arasta Bazaar, uma rua ao lado da Mesquita Azul. O assédio dos vendedores não é a melhor recordação que você vai levar da cidade, mas faz parte da cultura local. Ao ter revelada sua condição de turista, receberá um assédio de proporções quase indecentes.

É assim no Arasta e é assim num dos mercados mais famosos do mundo, o Grande Bazar, que não é grande, é enorme. Os riscos de se perder lá dentro, no entanto, são mínimos. Basta você lembrar do nome do portão pelo qual entrou (há vários) e, quando quiser ir embora, seguir as indicações das placas internas. Portanto, perca-se, o lugar pede. E, ao bater em retirada carregando seus oito tapetes, suas cinco capas de almofadas, seus dois conjuntos de chá, seus sete castiçais e seus onze pratinhos de porcelana, não esmoreça e dirija-se ao Bazar das Especiarias, que não fica longe. Aí sim, acrescida sua bagagem de vários chás e temperos, almoce no Pandeli, uma instituição turca que fica no segundo andar do prédio.

Eu poderia ficar até o fim desse livro falando sobre Istambul, mas a vida continua. Faltou dizer que se você quiser ver dança do ventre, há casas noturnas que apresentam o espetáculo, ainda que no quesito sensualidade as brasileiras sigam imbatíveis. Que é uma cidade que já vem com trilha sonora: há sempre um som saindo de algum lugar, seja dos minaretes, cujos alto-falantes convocam à população para as orações do dia, seja uma música de rua – há sempre o que ouvir. E que se você ficar apenas três ou quatro dias, vai ser pouco. Istambul é grande, como já foi dito. São dois continentes numa cidade só.

FESTIVAL DE JAZZ DE MONTREUX E OUTRAS BANDAS

Todo mundo sabe que o Festival de Jazz de Montreux não é mais reduto do jazz, e sim da world music, seja lá o que isso signifique. Ainda assim, a mística em torno do evento permanece. Alguns anos atrás, conheci a diretora do backstage do festival por razões literárias, não musicais, e acabamos nos tornando muito amigas. Ela é uma paulista que viveu sua juventude no Rio e mora há mais de 20 anos em Lausanne, na Suíça. Desde que nos conhecemos, ela sempre insistiu para que eu assistisse ao Festival. Eu andava muito a fim de fazer uma viagem sozinha, então usei o convite dela como álibi: avisei em casa que Marcia havia me intimado e não havia escapatória, eu iria para a Suíça assistir ao menos os três primeiros dias de Montreux (são 15 no total). "Atravessar o oceano por causa de três dias de show e uma amizade?", perguntaram incrédulos os membros da minha família, um marido e duas filhas. Considero motivo suficiente, mas para ninguém estranhar, resolvi dar uma passadinha antes em Paris e um pulinho em Milão depois.

E assim foi. No dia 25 de junho de 2005 aterrissei no aeroporto Charles de Gaulle, em Paris, e fui direto para um pequeno e simples hotel ao lado da Place du Châtelet, o

Victoria Châtelet, de propriedade de Corinne, que é francesa, mas fala um português honesto. Larguei minhas coisas apressadamente e segui direto para a Avenue Montaigne, não para fazer compras na boutique Chanel, mas com a intenção de ver a própria Chanel. Ilusionismo? Teatro. Fui comprar ingresso para assistir Marília Pêra interpretar Mademoiselle Chanel no teatro Comédie – uma sorte estar em Paris justamente quando a montagem brasileira da peça estaria sendo encenada lá. Com o ingresso garantido na mão, voltei para o hotel, tomei uma ducha e, aí sim, comecei a viagem. Me encontrei com um amigo jornalista, Fernando Eichenberg, o Dinho, que mora em Paris e é o responsável por eu ter me tornado cronista de jornal (foi ele que se hospedou na minha casa em Santiago do Chile e levou meus textos para *Zero Hora*). Tomamos um vinho rosé no Quartier Latin e depois fomos nos encontrar com Fernanda Verissimo (filha do Luis Fernando), Leo Henkin (músico da banda Papas da Língua) e sua mulher, Rosana. Fomos os cinco para o restaurante Le Bistrot Mazarin, onde comi um delicioso steak au poivre, e só quando o papo já avançava pela madrugada é que percebi o quanto estava cansada. Fazia um calor de derreter catedrais, mesmo à noite.

No dia seguinte, o tão esperado momento. Cheguei às redondezas do teatro com cerca de duas horas de antecedência. Ansiosa? De forma alguma. Já havia percebido um bistrô muito charmoso na Place de L'Alma, vizinha ao teatro, e ali me instalei numa mesa junto a um janelão com vista pra vida. Levava comigo duas revistas de moda e muita fome.

Tive um jantar *comme il faut*. De saída, pedi água e vinho. E, aos poucos, fui invocando os sólidos. Para começar, um patê de foie gras com um pão preto soberbo. Pausa para a digestão – eu tinha duas horas para gastar. Mais tarde, um penne aux crevettes que me assustou pelo tamanho da porção: eu poderia ter chamado o elenco inteiro da peça para repartir comigo o jantar. Quem poderia imaginar essa fartura na capital francesa? Mas sozinha estava e sozinha tracei tudo, limpando o fundo do prato com o restinho de pão. Ah, como é bom ser chique.

Não lembro quantos cálices de vinho tomei antes de entrar no teatro, mas foram em número suficiente para eu pisar leve no chão atapetado daquele templo das artes cênicas. Me acomodei no assento marcado e pratiquei meu esporte favorito em viagens: observar. Observei a bonita decoração do teatro (ainda que não seja páreo para o Theatro São Pedro, sem bairrismo), observei as pessoas e então grudei os olhos nos ponteiros do relógio: hora de começar. Pontualmente, começou. Que privilégio não precisar ler as legendas eletrônicas. A plateia inteira estava acompanhando a tradução simultânea em francês, enquanto eu podia relaxar ouvindo o nosso português e concentrar toda a atenção no palco, assistindo à fantástica Marília Pêra encarnar o maior mito da moda parisiense e universal. Adorei tudo no espetáculo: o texto, a encenação, o cenário. O figurino, nem se fala. Quando acabou, tive vontade de ir até o camarim cumprimentar a atriz, mas bateu uma inibição, além de que eu não sabia ao certo a hora em que fechava a estação de metrô. Já era tarde, resolvi não arriscar. Saí do teatro calmamente. Chuviscava. A Torre Eiffel me pareceu mais brilhante do que nunca. Se não estivesse garoando, acho que teria voltado a pé para o hotel. Disposição eu tinha. Estava andando sobre nuvens.

No dia seguinte eu tinha um compromisso profissional. O próprio Dinho me entrevistaria para um programa que iria ao ar pelo canal GNT. Combinamos que a conversa seria gravada num café ao ar livre numa pequena praça de um bairro que eu não conhecia, mas sabia que era perto do Panthéon. Dei uma conferida no mapa e fui caminhando ao local. Que bela surpresa me aguardava: a Place de la Contrescarpe. Apesar desse nome difícil de pronunciar, me deparei com um lugar bucólico, charmoso, uma praça de cidade do interior – do interior da França, logicamente. O bate-papo foi entre dois velhos amigos, nem percebemos as câmeras ao redor. Quando a gravação encerrou, Dinho seguiu para o estúdio onde editaria o material e eu desci vagarosamente pela simpática rue Mouffetard, pensando em como a vida podia ser generosa. Estava nesse enlevado estado de espírito quando entrei na estação de metrô que me levaria de volta ao hotel, mas antes que eu pudesse inserir meu ticket no equipamento que libera a entrada, um homem se apresentou a mim de forma truculenta mostrando um distintivo e já me arrastando pelo braço para um corredor suspeito. Foi como um corte de cena abrupto, fiquei sem saber como agir. Se meu inglês é um fiasco, meu francês é de chorar. *Bonjour, bonjour.* Será que meu *bonjour* me livraria da cadeia? Eu não entendia nada do que o homem falava para um comparsa, mas boa coisa não era. Fiquei um pouco aliviada ao ver que havia mais uns três ou quatro na mesma situação que eu, todos com cara de imigrantes ilegais. Ao menos poderíamos fazer uma vaquinha para contratar um advogado. Procurei manter a calma e mostrei meu passaporte, mas logo percebi que o problema era o ticket: eles estavam fazendo uma blitz para confiscar bilhetes falsos. O meu era mais verdadeiro do que o medo que eu estava sentindo. Fizeram repetidos testes numa maquineta de mão e me liberaram com um resmungo por tê-los feito perder tempo. Dei um risinho sarcástico como quem diz "adeus, brutamontes, acharam que eu iria me assustar?". Saí dali direto para o banheiro.

De manhã, estava acomodada no TGV que me levaria a Lausanne, de onde faria a conexão para Montreux. Marcia estaria me esperando na estação. E assim se deu. Ao nos vermos, o abraço foi infinito. É incrível como uma amizade que começou por e-mail por motivos profissionais conseguiu progredir até se transformar num afeto real. Fomos direto a um restaurante de comida italiana e, parecendo mesmo duas italianas sem freio na língua, estendemos nosso bla-bla-blá pela tarde afora. Não era noivado, mas ganhei um anel lindo feito por ela – até hoje me param na rua perguntando onde comprei. Quando ela me deixou no hotel, nem desfiz a mala e tampouco abri a janela. Caí desmaiada na cama.

Ao acordar do meu sono de princesa, descobri que meu quarto tinha uma sacada que dava para o translúcido lago Leman e para as montanhas com suas neves eternas. O cenário era de filme de Walt Disney, mas o que mais me impressionava era o perfume que a natureza produzia. Me vesti e fui dar uma caminhada pelas redondezas. Descobri jardins floridos e caminhos secretos, tudo absolutamente silencioso e impecável. Pensei: "Adoraria morar aqui...". E logo concluí o pensamento: "...aos 90 anos de idade". Seria uma boa escala antes de chegar ao céu, mas, por enquanto, não troco a agitação dos centros urbanos pela paz eterna.

Montreux era um idílio durante o dia, mas a noite é que me interessava. Primeiro de julho de 2005, abertura do festival. À tardinha me encontrei com Marcia no Harry's Bar. Fizemos o primeiro brinde entre os muitos que viriam, recebi meu crachá vip e fomos juntas para o Palácio onde aconteceriam os principais shows da programação. Ela me conduziu num tour por todos os ambientes, me levou até seu escritório, me apresentou a seus assistentes, visitei camarins, salas de imprensa e até pelo palco dei uma circulada. Imaginei que sentiria no ar alguma tensão, alguma energia, mas estava tudo estranhamente calmo e organizado. A abertura seria às 20h, assim que o cuco ordenasse. Pensei: estamos na Suíça, sem sombra de dúvida.

E às 20h em ponto o fundador e presidente do festival, Claude Nobs, subiu ao palco diante de uma plateia lotada. Proferiu algumas palavras de boas-vindas e apresentou o primeiro convidado da noite, o britânico James Blunt, de quem até então eu desconhecia a existência (ele ainda não havia estourado nas rádios do Brasil – estourou semanas depois). Rockzinho básico, sem novidades, mas a banda era competente e a qualidade de som era límpida como imagino que seja a voz de Deus. Pra ajudar, a plateia era um doce. Tudo muito certinho. Certinho demais.

Show encerrado, saí por um corredor vip em direção à sala da Marcia, que seguia trabalhando, e cruzei no caminho com um garoto de jeans e camiseta que me pareceu familiar. Se não era o próprio James Blunt – exausto. Eu o cumprimentei pelo show, ele agradeceu timidamente e tive a sensação de que o sucesso do rapaz seria fogo de palha. Mas como ele andou em turnê pelo Brasil recentemente, devo ter me enganado.

Ainda ali passeando pelo backstage, senti uma movimentação, cordas vocais sendo aquecidas. Vi uma moça bonita e um sujeito meio insosso. Percebi quem eram, mas faltava encontrar a estrela da família para confirmar. Logo me deparei com Andrea, a bela vocalista do The Corrs, grupo formado por irmãos escoceses que entraria no palco em seguida. Incrível, ela tinha no máximo um palmo a mais que o Nelson Ned. E ainda por cima estava de melissinha. Pensei: é só para relaxar os pés. Assim que os anunciarem, ela vai montar num salto oito, no mínimo. Voltei para o meu lugar privilegiado, na fila do gargarejo, e esperei. Em seguida os manos entraram sob muitos aplausos e iniciaram o show de forma quente, mas durou pouco: ficou tudo burocrático novamente. Era profissionalismo demaaaais. E o público era majoritariamente de meia-idade – ou da "minha" idade, como queiram. Fazia falta uns endemoniados entre o público. Andrea seduz, saracoteia, joga charme o tempo todo, quer ser Madonna quando crescer. Mas para crescer, não dá pra continuar cantando de melissinha, o que ela fez até o último bis da noite.

Estava encerrada a primeira maratona, nem tão maratona assim. Reparei que não havia jantado. Assisti aos dois shows numa pista livre, em pé, ou seja, àquela altura, disposição já não era o meu forte. Me despedi da Marcia, que ainda entraria madrugada adentro trabalhando na organização da próxima noite, e fui para o hotel caminhando. Minhas pernas já quase não me obedeciam. Tudo bem, eu não precisaria delas para correr, no caso de um ataque surpresa que jamais aconteceria. Eram duas horas da manhã e atravessei quadras e quadras escuras e estranhas sentindo uma segurança que não encontro nem em beira de praia. Estava na Suíça, lembrei mais uma vez.

Na manhã seguinte dei uma passeada pela cidade enquanto Marcia se recompunha da trabalheira da noite anterior. Depois do meio-dia, nos encontramos e pegamos a estrada rumo a Vevey, outra cidadezinha de sonho, com chafarizes, lojas de decoração e floreiras em cada canto das ruas. Fizemos umas comprinhas fúteis e depois fomos almoçar num terraço à beira do lago, onde tivemos mais uma sessão de tagarelice explícita. Como é bom conversar com uma amiga inteligente e divertida.

De volta à cidade-sede, ainda dei mais uma caminhada e encontrei a estátua em homenagem a Freddie Mercury (o Queen costumava gravar num estúdio localizado em Montreux). Fiz uma reverência silenciosa em respeito ao mestre que tanto me emocionou no Rock in Rio e segui para o Palácio do Festival. Foi uma noite mais roots, exagerando um pouco. Começou com Billy Preston, hoje falecido.

Como se sabe, ele chegou a tocar com os Beatles, e quando mandou um "Get Back" para uma plateia mais fervida e emendou com "My Sweet Lord", de George Harrison, minha garganta travou comovidamente. Depois entrou no palco um grupo country que não me convenceu – aproveitei para sair e beliscar uns sanduichinhos de salmão numa sala de aquecimento de músicos, onde também rolava champanhe à vontade. Estava eu ali, forasteira, à toa, sem ninguém me perceber, quando testemunhei uma cena que nunca mais esqueci. Sentado num canto, vestido de forma muito exótica, havia um sujeito taciturno, do tipo não-me-toque--nem-fale-comigo. Isaac Hayes. Ele encerraria a noite, depois dos desengonçados do country. Fiquei só observando, meu esporte favorito. Foi então que vi um garoto de uns 16 anos se aproximando com a capa de um LP. Sim, a capa de um disco de vinil. Eu já tive aquele disco. Vibrei. O garoto provavelmente era neto de alguém do staff. Nervoso, se aproximou do ídolo com uma caneta esferográfica e pediu para ter sua capa autografada. Isaac Hayes não olhou para o guri. Nem piscou. Enxotou-o como se fosse uma mosca. Pensei em ir até lá dizer: *Qual é? Você está quase com o pé na cova e esnoba um fã de 16 anos, perdeu a noção?* Mas não disse nada, porque meu inglês não dá pra tanto, senão eu rodava a baiana. O que teria a perder, a não ser meu crachá vip? O guri foi embora com o rabo entre as pernas e eu fui assistir ao show meio desanimada, mas, ok, é preciso reconhecer que ele tocou e cantou seu blues divinamente, com aquela sua voz soturna. Hoje está com os dois pés e o resto do corpo na cova, a despeito de toda sua genialidade musical. Somos todos iguais quando o show acaba.

Dia seguinte agitado. Primeiro, Marcia e eu fomos até Lausanne, onde conheci o apartamento dela. Pequeninho, bagunçado e adorável. De Lausanne fomos para Cully por uma estrada de uma beleza assombrosa, onde tomamos um brunch na beira do lago (tudo é na beira do lago) e depois subimos os Alpes. Subimos, subimos, subimos até quase tocar o céu com a ponta dos dedos para uma festa diurna oferecida pelo já citado Claude Nobs. O lugar é indescritível, mas vou tentar mesmo assim: o chalé fica no cume de uma montanha tão alta, mas tão alta, que dá vista não só para Montreux, mas para toda a Suíça. Os aposentos são decorados com objetos art déco. Muitos tapetes, jukeboxes, instrumentos musicais, motos (sim, Harley Davidson espalhadas pela casa), miniaturas de trens, uma boate equipadíssima e um home theater gigantesco cujos assentos eram poltronas da primeira classe da Swissair. Lá fora, uma piscina, um lago com carpas (lago, lago), um bar onde serviam champanhe e caviar como se fosse chope com fritas e pessoas de todas as nacionalidades imagináveis, até duas brasileiras de Pernambuco que surgiram não sei de onde, e elas pareciam também não saber. Nem precisava ter show à noite, mas ainda tinha.

A sonzeira começou com Patty Smith, que estava mais doida do que o esperado. Lá pelas tantas baixou um santo na mulher, ela se situou e cantou lindamente "Like a Rolling Stone", de Bob Dylan. Aí pintou um cowboy esquisito no palco e fugi, fui pra sala de mixagem onde sabia que encontraria dois gaúchos, estava com saudade do nosso sotaque. Ficamos lá comendo pizza e lembrando da terrinha. Voltei para a arena e assisti então ao melhor show dos três primeiros dias do festival: Garbage. A vocalista Shirley Manson é hipnótica, tem uma presença cênica muita forte, impossível tirar os olhos dela. O público curte, venera, dança, mas nunca fica possuído, não se acaba diante da musa, por mais que ela cante a centímetros do rosto e dos braços das pessoas da primeira fila, num corpo a corpo que, aqui, seria arriscado. Mas na Suíça nada é arriscado.

Valeu, Montreux, até a próxima.

Deixei a Suíça e fui descansar de tanta organização na Itália, onde mais? Passei dois dias em Milão antes de voltar ao Brasil. Enfrentei chuvas torrenciais. Me abrigava dentro da galeria Vittorio Emanuele, onde quase fiquei sócia de um restaurante que servia o melhor gnocchi ao molho de pera e gorgonzola. Quando chovia menos, ia até uma sorveteria comer o melhor gelato di fragole. Para mim, tudo era "o melhòr". Cheguei a tirar a melhor soneca da minha vida num banco da Piazza Scala. Juro, à luz do dia, deitada como uma mendiga, a mochila servindo de travesseiro. Foi a única hora em que não choveu.

Peregrinei pela Via Spiga, pela Via Manzoni, mas a única compra foi feita na badaladésima 10 Corso Como, famosa loja multimarcas onde me apaixonei perdidamente por uma gargantilha turca que vive comigo até hoje, amor eterno. E ainda deu tempo de admirar o acervo da Pinacoteca di Brera – me impressiona sua coleção de obras sacras, tudo muito violento, apavorante, trágico. É inquietante ver a religião inspirando tanta cena de sofrimento, de tortura. Batalhas que são verdadeiras carnificinas. Carandiru by Caravaggio.

Jamais esquecerei da última refeição em Milão, antes de partir para o aeroporto. Qual foi mesmo? Esqueci. Culpa do frascati geladíssimo. Foram três cálices.

BONJOUR, L'AMOUR

Depois de 21 anos vivendo ao lado do mesmo homem, pai das minhas filhas, com quem fiz inúmeras e inesquecíveis viagens, me vejo em plena meia-idade separada e fazendo algo comumente associado à adolescência: namorando de novo. Em estado de graça, como não. Para deixar a situação ainda mais insólita, era um engenheiro estilo homem das cavernas, totalmente avesso à vida cosmopolita e cujo prazer existencial era tomar seu chimarrão às 5h30 da manhã assistindo ao sol nascer, de preferência numa estância dos pampas com horizonte a perder de vista.

Foi quando, aos cinco meses de namoro – cinco meses, uma merreca! – me surgiu uma oportunidade irrecusável de sair do país de novo. Eu deveria ir a Paris assinar um contrato com a editora Anne Carrière para a publicação do meu livro *Divã* em francês. Marcia, minha agente e assessora para assuntos internacionais (*oui*, a mesma de Montreux), estaria lá para fazer o meio de campo. Convidei o namorado para ir comigo, mesmo sabendo que tudo conspirava contra: ele estava no comando de uma grande obra em Santa Catarina e nunca havia demonstrado o menor interesse em conhecer a Europa. Mas descobri que o amor é de fato subversivo.

O ano era 2006. Dia 11 de setembro (um dia não muito inspirador para se viajar de avião), embarcamos. Dois dias antes ele quase foi a óbito por causa de uma pedra no rim.

Expelida a pedra e o nervosismo, chegamos às 6h da manhã em Paris e fomos direto para o Victoria Châtelet, meu QG na capital francesa – desconsidere como dica de viagem, caso você não abra mão de certos confortos. Possui três estrelas só pela localização. Uma bastaria, analisando friamente os quartos.

Como a camareira ainda não havia terminado seu serviço – naquele horário, acho que nem havia começado –, só nos restava esperar antes de nos acomodarmos. Resolvemos deixar a bagagem num canto do hall e sair para um primeiro reconhecimento da cidade, eu estava ansiosa para ver a reação dele. Vamos? Vamos. Mas antes, ele foi até a cozinha do hotel esquentar a água para o chimarrão, que logicamente nos acompanharia.

Não entendo como essa caminhada não ganhou a primeira página do *Le Monde* no dia seguinte. Meu namorado vestia bermuda, chinelo de dedos e boné, e empunhava uma cuia de tamanho razoável – poderia ser instalada junto ao pórtico de qualquer cidade da fronteira gaúcha. Sem ligar a mínima para os olhares espantados da população, foi sorvendo seu mate pelos boulevards como se fosse a coisa mais natural do mundo. Disfarçadamente, alguns transeuntes tiravam fotos com o celular. Que Notre Dame, que nada, aquilo é que era atração turística.

Nos dias seguintes, fizemos tudo o que todo mundo

faz. Quartier Latin, Montmartre, Sacré Coeur, Torre Eiffel, passeio de barco pelo Sena e até nos atrevemos a um piquenique nos jardins da Place des Vosges, com morangos, queijos e várias garrafinhas de vinho. Ah, l'amour. Ah, Paris!

Um dos programas que eu jamais teria feito sozinha é conhecer Roland Garros. Meu homem da fronteira era tenista, e não sossegou até conhecer o complexo esportivo que consagrou Guga Kuerten. Como eu tenho familiaridade com o assunto – pai e irmão tenistas também –, acabei curtindo o passeio. Invadimos quadras vazias, visitamos o museu, assistimos ao treino de alguns atletas, matamos a curiosidade. É praticamente um clube. Nem lembro se tivemos que pagar para entrar, acho que bastou um *bonjour* para o porteiro.

Mas o que faria bater meu coração naqueles dias era o encontro com a editora que estava me abrindo as portas para o mercado internacional.

No dia da reunião, almoçamos no L'Entrecôte (um restaurante com prato único, filé com fritas, mas prove o molho desse filé e depois me diga se é preciso algum prato a mais no cardápio) e então fomos fazer hora na pracinha ao lado da Igreja de Saint-Germain-des-Prés. Havíamos combinado de nos encontrar às 15h com Marcia no Café Les Deux Magots e dali irmos juntos para a editora, que ficava a poucos passos daquele quadrilátero de luxo.

Marcia atrasou 10 minutos, o que só aumentou meu estado de nervos, mas chegou. Fiz as apresentações entre ela e meu namorado, tomamos um café e fomos finalmente ao encontro da editora que, se desse tudo certo, me transformaria na nova sensação literária da semana. Na verdade, eu não apostava um níquel nisso, mas minha agente já estava gastando por conta. Ríamos muito dos nossos devaneios, que seguiram para sempre devaneios.

Anne me recebeu com uma simpatia inesperada. Sua editora ficava num prédio antigo (que prédio não é antigo em Paris?) e o ambiente era totalmente despojado, sem modernices. O staff era simpático como sua patroa e logo me senti totalmente à vontade, ainda que não conseguisse pronunciar nada além de *bonjour*. Fomos encaminhados para a sala onde assinaríamos o contrato. Marcia leu tudo cautelosamente, enquanto meu namorado fotografava o momento histórico. De repente, ele desapareceu. Cheguei a ouvir a voz dele do outro lado da parede. Estava em colóquio com uma recepcionista na antessala. Como assim? Onde ele aprendeu a falar francês? Deixei para resolver o assunto depois, não era hora para inseguranças. Assinamos a papelada, conversamos as três como se fossemos velhas amigas (*bonjour, bonjour*), brindamos e fomos felizes, até que resolvi descobrir onde andava meu audacioso acompanhante. Não é que o querido estivera pesquisando se havia alguma floricultura na vizinhança? Homens da fronteira podem ser *très gentil*. Saí da editora com um buquê nas mãos e carregada no colo escada abaixo, feito uma noiva. Que cara maluco. Só deu tempo de gritar para a Marcia: "Passa no hotel mais tarde para a gente jantar!".

Às 20h, Marcia estava no Victoria Châtelet, e de lá fomos os três rumo ao Enoteca, um restaurante escolhido pelo

Dinho, meu amigo praticamente parisiense, que convidei para jantar conosco. Estava meio ansiosa com essa comemoração a quatro: apenas eu conhecia os três, eles não se conheciam entre si. Mas, bobagem. O que poderia dar errado?

Namoro de cinco meses é praticamente um ensaio: nada se sabe, de fato, um do outro. Tinha noções de que meu namorado era ligeiramente ciumento, mas nunca poderia imaginar que esse "ligeiramente" não equalizava com o tamanho da encrenca. De cara, ele encasquetou que eu e Dinho havíamos sido mais do que amigos de infância, e quando Marcia, antes de os pratos chegarem à mesa, convidou meu amor para fumar lá fora, a conspiração tornou-se clara: "Ela está me tirando de cena para deixar os dois pombinhos sozinhos". Isso tudo eu só soube depois, claro, pois ainda não tenho o poder de ler pensamentos. Mas sentia que havia um clima inamistoso no ar. Na hora da sobremesa, o papo já não rolava solto como antes. De repente, despencou um toró de transbordar cachoeiras. Mesmo assim, meu lindinho conseguiu sussurrar sem que ninguém além de mim ouvisse: "Vamos embora agora". Olhei pra janela e fiz um sinal com a cabeça, mostrando que o mundo estava desmoronando lá fora. Ele repetiu: "Preciso sair. Agora". A frase seguinte provavelmente seria: "Estou prestes a me transmutar no Incrível Hulk". Pagamos a conta, levantamos e *au revoir, au revoir*. "Estão loucos? Vão sair com um tempo desses?" Abri um sorriso tão charmoso quanto falso e disse, "Imagina, uma garoazinha de nada". A estação de metrô mais próxima ficava a três quadras, mas foram necessários apenas três passos na calçada para parecer que tínhamos feito mergulho subma-rino. Encharcados e sem trocar palavra, chegamos ao hotel. Tomei um banho, sequei os cabelos e fui dormir sem saber onde é que havia errado. Até hoje não sei.

Próxima parada: Barcelona. Pegamos um voo e tudo voltou a dar certo, estávamos em plena lua de mel. Ao ater-rissar, fomos à esteira das bagagens e ficamos esperando. Es-perando. Esperando. E esperando estaríamos até hoje. Nada das nossas malas. Registramos o sumiço e nos despacharam para o hotel: "Quando encontrarmos, se encontrarmos, serão entregues lá", foi o que nos disseram – em catalão. Que ótimo. Eu não tinha nenhum kit de primeiros socorros na mochila.

Passamos o dia perambulando pelas Ramblas com a roupa do corpo. Compramos escova de dente, pasta, deso-dorante e umas camisetas para quebrar o galho, caso o pior acontecesse. Voltamos à tardinha para o hotel e nada ainda das malas. Antes de sair para jantar com a mesma roupa imunda, aleluia, elas chegaram.

É uma experiência que nos faz avaliar o que realmente tem importância na vida. Eu não sofria pelo vestido que tal-vez nunca mais visse ou pelo sapato que havia usado só uma vez, e sim pelo sumiço de uma caderneta de anotações onde já havia registrado boa parte da viagem. E lamentava nunca mais colocar no dedo um anel pelo qual joalheiro nenhum daria um centavo, mas que para mim valia como se fosse um diamante da Tiffany. O anel havia sido da minha avó.

Mas recuperei não só vestidos e sapatos, como o anel, a caderneta e o que mais a mala continha: tudo parte da nossa memória afetiva, que, no final das contas, é o que mais tememos perder pelo caminho.

Depois de curtir o que Barcelona tinha para ser curtida, fomos de trem até Montpellier, na França, e lá alugamos um carro. Finalmente, o filé mignon da viagem. Adoro percorrer estradas desconhecidas e não saber onde vou dormir à noite. Nesse primeiro dia motorizados, saímos sem rumo e, depois de muito rodar, acabamos em Ramatuelle, um lugarejo escondido e charmoso num ponto alto da costa azul. Percorremos a pé suas ruelas, tomamos vinho e tentamos encontrar uma pousadinha para ficar por lá mesmo, mas estava tudo lotado: a cidade era mínima, porém requisitada. Não nos restou outra alternativa a não ser voltar para o carro e seguir até Saint-Tropez. Vida dura.

Chegamos tarde e, por conta do cansaço, nos hospedamos no primeiro hotel que vimos, sem reparar que era megaluxuoso. Foi o que bastou para meu namorado se emburrar. Tinha cabimento gastar os tubos numa única noite? Não tinha. Mas vá explicar isso para uma mulher despencando de sono.

No dia seguinte, Saint-Tropez nos deu as boas-vindas e desemburrou qualquer semblante. Dia de sol tropical. Mergulho. Caminhadas. Visual. Passamos um dia de magnatas e no fim da tarde pegamos a estrada de novo. Quando o sol começou a se pôr, estávamos na Route des Calanques, entre St. Raphael e Cannes, onde encontramos um casarão na beira da estrada, de frente para uma baía deslumbrante. Chamava-se L'Auberge Blanche, mas duvido que se encontre alguma referência no google. Estacionamos e batemos à porta. Veio nos atender uma senhora de uns bem vividos 130 anos. Ofereceu para nós seu melhor quarto, no terceiro andar, milhões de metros quadrados de frente para o mar. Poderíamos ter dado uma festa de réveillon dentro do aposento. Instalados, saímos para jantar ali perto e na volta trouxemos para o quarto uma garrafa de vinho tinto. Descuidada como sou, larguei o cálice no chão e, ops, derrubei. Ficou uma mancha preta no carpete bege. Tentei lavar, disfarçar, não houve jeito. Deve estar lá a mancha até hoje. Bom motivo para você se hospedar no L'Auberge Blanche – caso encontre esse endereço secreto – e me contar se o carpete foi trocado. Iria sossegar minha alma. Já não guardo culpas na vida, só essa restou.

Nos dias seguintes passamos por Cannes, Cap d'Antibes, Mônaco, mas a recordação mais onírica foi a visita que fizemos a Eze, uma vila medieval que fica praticamente pendurada numa montanha, a mais de 400 metros acima do nível do mar. A vista do Mediterrâneo é de tontear. Sentamos num café localizado bem no topo da vila e pedimos um cálice de champanhe para cada um, sem nem olhar o cardápio. O garçom nos mostrou o rótulo da garrafa antes de servir e autorizamos também sem averiguar. Quando veio a conta, começamos a rir – histéricos, claro. Cada cálice custava uma garrafa de Dom Pérignon, exagerando – mas nem tanto. Que sirva de lição: pergunte o preço antes, sempre. Não é vergonha nenhuma. Vergonha é ser explorado por causa da própria bananice.

Viajar de carro é bom porque às vezes a gente se engana ao avaliar o mapa e vai parar onde nunca imaginou. Foi assim que conhecemos a charmosa Chiavari, um lugarejo praiano perto de Portofino, onde pernoitamos antes de seguir no dia seguinte para Santa Margarita – para mim era questão de honra rever uma prainha que fica entre Santa Margarita e Portofino, uma microbaía de água verde-esmeralda que você jura que é um cenário, não pode ser real. Mas é real.

Em Viareggio, jantamos brigados, não lembro a razão, provavelmente porque não havia nenhuma. Não falamos um com o outro durante toda a refeição, parecíamos um casal comemorando 57 anos de casados. Em Lucca, já reconciliados, alugamos duas bicicletas e nos divertimos feito colegiais. Em Florença, foi uma dificuldade encontrar algum lugar para dormir, até que nos hospedamos num quarto palaciano no Hotel Royal que bem poderia acomodar uns três casais com filhos. Em Veneza, chovia uma barbaridade, não me restou alternativa a não ser me proteger sobre a marquise de uma livraria, enquanto meu escudeiro sumia pelos estreitos corredores da cidade em busca de socorro. Eis que ressurge o moço com duas capas de chuva de plástico, daquelas que cobrem o corpo da cabeça aos pés e que custam dois dólares, quando não são distribuídas de graça. Vermelha para mim, azul para ele. E assim, com essa elegância que abismaria Giorgio Armani, a dupla grenal percorreu a cidade mais charmosa da Itália, que naquele dia esteve literalmente prestes a afundar para sempre – faltaram as galochas para completar o look.

Durante o voo de volta ao Brasil, tivemos uma conversa séria sobre nossas incompatibilidades e chegamos à conclusão de que, por mais amor que houvesse entre nós, a convivência prenunciava-se nefasta e talvez fosse o caso de entregarmos os pontos ali mesmo, fechando com chave de ouro aquele namoro de cinco meses. Pois completamos cinco anos juntos e, contrariando os prognósticos, seguimos em viagem.

TARTARUGAS, GOLFINHOS E TUBARÕES

Era um dia de semana como outro qualquer, quando me chegou por e-mail um convite para participar de um evento literário em Recife no mês de agosto, mais precisamente em 18 de agosto. Passagens e hotel por conta. Antes de responder, peguei o telefone e liguei para o meu namorado, aquele que gostava de tomar banho de chuva à noite em Paris. "Que tal passarmos o meu aniversário em Fernando de Noronha?"

Eu nasci em 20 de agosto. Recife era meu pretexto. Fernando de Noronha seria meu presente.

No dia 17 aterrissamos na consagrada Veneza brasileira, que eu não conhecia, nem ele. Nos instalaram num hotel na praia de Boa Viagem e adeus, até logo, passar bem: o evento seria só na noite seguinte. Acomodamos nossas coisas e saímos a caminhar por ali, no calçadão à beira-mar, e o que mais lembro desse passeio eram das placas avisando "Cuidado: tubarões". Então era verdade.

Na manhã seguinte, depois de um suco de acerola e outro de caju, alugamos um carro e fomos direto para Porto de Galinhas, onde nos concedemos uma fartura de frescobol, caipirinha e banhos de mar. Se existe algo que me faz falta é mar com temperatura civilizada. Nem digo quente, porque água quente é coisa de gente doente, mas uma temperatura convidativa. As praias gaúchas, além de não merecerem protagonizar cartões-postais (exceção feita para a Guarita, em Torres), têm o mar um pouco menos gelado do que o do Uruguai, porém muito mais gelado do que o resto do Brasil. Além disso, as praias são feias, por mais que meus conterrâneos gaúchos não tolerem que se comente isso em público. Não é culpa nossa, é de Deus, que caprichou na nossa região serrana e no pampa, mas cochilou na hora de moldar o litoral. Ninguém acerta todas. Então, estar em Porto de Galinhas era uma justa recompensa por todos os riscos de contrair pneumonia nos verões do sul.

Mas era hora de voltar para Recife e trabalhar, que ninguém estava ali a passeio – ainda. Às 18h eu estava a postos (de banho tomado e um leve ar rosado nas bochechas) na Livraria Cultura para conversar com um pessoal simpático que apareceu para me prestigiar, e depois autografei vários livros. Liberada? Sim, missão cumprida, pode ir, muito obrigada.

Na manhã seguinte, aproveitamos o carro alugado e fomos até Olinda, e bastou estacioná-lo para surgir na nossa frente o Romilson oferecendo seu serviço de guia turístico. Eu sei que guias são facilitadores, mas não gosto de conhecer cidades com alguém no meu encalço, falando sem parar. No entanto, antes que eu esboçasse um agradecimento acompanhado de um "não precisaremos", meu namorado já estava dividindo uma cerveja com o cara. Ele tem esse dom de virar amigo de infância de qualquer pessoa três segundos após o aperto de mão.

Então lá fomos nós com o Romilson subir e descer ladeiras, curtindo os sobrados coloridos que fazem parte do patrimônio histórico, as ruas de pedra, os ateliês de pintura, as igrejas barrocas. Não poderíamos deixar de visitar o local onde são guardados os bonecos gigantes que são a atração do carnaval de rua da cidade, e tanto me empolguei que até ensaiei dançar um frevo com o Romilson ali dentro do galpão, que em viagem eu perco mesmo o senso do ridículo.

As horas passavam e a ansiedade aumentava: estava chegando a hora da atração principal da viagem. Saímos de Olinda, devolvemos o carro no aeroporto de Recife e embarcamos num voo de 1 hora rumo à ilha da fantasia. Da minha fantasia.

Eu estava sentada à janela, meu lugar preferido no avião, mesmo que tenha que passar por cima das pernas dos outros na hora de ir ao banheiro. Espiava aquele mar azulado a perder de vista, quando comecei a ver um ponto de terra. E a pequena península se estendeu, ficou montanhosa. Era uma ilha. *A* ilha. O piloto, generoso, fez um sobrevoo panorâmico em torno dela, acho até que fez dois. Ao avistar as praias lá de cima, dava para ver que o mar azul profundo se transformava em mar azul anilina nas margens. A sensação era de paraíso perdido. Meu coração batia forte, e enxerguei pontos luminosos no mar que, tenho certeza, eram golfinhos acrobatas nos dando as boas-vindas. Ou eu é que estava vendo coisas.

Foi uma aterrissagem triunfal.

Em terra firme, a entrada no pequeno aeroporto da ilha é meio tumultuada, com fila para pegar o formulário e pagar a taxa de preservação ambiental, e houve uma pequena demora na esteira das bagagens, mas logo estávamos acomodados no nosso buggy amarelo: sem alugar um buggy, qual é a graça? E lá fomos nós para a BR mais curta do país (apenas 6 km que cortam a ilha de ponta a ponta) rumo a modesta Pousada Sueste. Quase tudo é modesto em Fernando de Noronha. Menos a natureza.

Deixamos nossa bagagem no quarto, abastecemos o buggy (gasolina caríssima) e fomos para a praia do Boldró, cujo acesso é difícil, com pedras enormes no caminho – taí a razão do buggy. O local estava abandonado, o sol já havia caído, mas ainda assim demos o primeiro mergulho e tomamos uma cerveja num boteco vazio, onde havia apenas uma fogueira e um bêbado. Então fomos para o centrinho, na Vila dos Remédios, onde jantamos no restaurante Edilma e comi pela primeira vez carne de tubarão, que tem gosto de peixe (de frango é que não seria). Macaxeira de entrada, caipirinha de pinga e um molho delicioso, e estava inaugurada a nossa primeira noite. As estrelas abundantes no céu nos aconselhavam a dormir cedo, pois o dia seguinte prometia.

20 de agosto. Ao acordar, vimos que as estrelas haviam entregue o prometido: um dia ensolarado sem uma nuvem no céu. Fomos para a Baía do Sancho.

A praia fica aos pés de uma grande falésia, praticamente um despenhadeiro. Difícil encontrar palavras que definam o que se avista lá de cima: é um visual tão arrebatador que nos tira o senso da realidade, parece que fazemos parte de um filme, de um poema. Mas logo a realidade nos chacoalha e avisa: para chegar lá embaixo, na praia, não vai ser um poema, não. Preparados?

Nós estávamos carregando raquetes de frescobol, snorkel, pés de pato, mochilas e guarda-sol. Mesmo com essa tralha toda, conseguimos enfrentar o desafio de descer pelo meio das rochas através de uma escadinha de incêndio tão estreita que você jura que ficará entalada no meio das pedras. Mas como para baixo todo santo ajuda, desci com convicção, dando bom-dia para os calangos que circulavam pelas pedras a cinco centímetros do meu nariz, com fé de que logo veria outra vez a luz solar e sentiria a areia sob meus pés.

Chegando à praia, era muita beleza para um único par de olhos. Lembrei daquela frase clássica: "Me ajudem a enxergar!". Sozinha, parecia impossível absorver tanto esplendor. E ao perceber que éramos tão poucos à beira-mar, agradeci a cautela que o governo local tem em relação à quantidade de turistas que podem desembarcar na ilha – nunca se permite excedentes, é um número fechado, tornando Fernando de Noronha um paraíso exclusivo. O silêncio era absoluto, quebrado apenas por alguma exclamação aqui ou acolá de alguém que não se continha diante de tanto prazer em estar vivo.

O snorkel, os pés de pato e eu não nos entendemos de imediato, mas, depois de receber rápidas instruções, consegui me ajeitar com o equipamento e deu até para ver alguns peixinhos coloridos. Foi meu batismo no mergulho. Sei que não se pode chamar de mergulho o simples ato de enfiar dois centímetros de rosto dentro d'água, mas meu conceito de mergulho é bem simplificado: é quando consigo, imersa, ficar com os olhos abertos.

Nas principais praias de Fernando de Noronha não há quiosques nem vendedores ambulantes. Quem quiser tomar ou comer alguma coisa, tem que levar seu próprio lanche, coisa que não fizemos. Então, depois de muito nadar, jogar frescobol, pegar sol e caminhar pela baía, bateu a fome. Olhei para aquela falésia gigantesca e suspirei: na hora de subir, os santos fazem olho branco. Coragem. Juntamos a tralha e lá fomos nós galgar a escada estreita entre as rochas. Que canseira. Acho até que os calangos riram da minha cara quando passei por eles. Calango ri, ao menos os que moram em Fernando de Noronha. Têm motivos pra isso.

A recompensa pela escalada foi um almoço nababesco na Pousada Maravilha. Escolhemos uma mesa na beira da piscina e foi uma festa de babette com direito a sobremesa de cortesia por eu estar de aniversário. Meu namorado também vira amigo de infância dos garçons menos de três segundos após a entrega do cardápio. Não há segredos entre eles.

Depois de um repouso no hotel, mais praia. Fomos para a Cacimba do Padre ver de perto o morro Dois Irmãos, que já haviam nos nocauteado ao serem avistados de longe. De perto, são ainda mais impactantes, dois grandes seios de encabular Pamela Anderson e Fafá de Belém. Logo ao lado da Cacimba está a Baía dos Porcos, uma pequena enseada que, pela manhã, com a maré baixa, permite a circulação de alguns transeuntes em sua minúscula praia, mas ao final da tarde é impossível porque a maré sobe, então só o que nos restava era ficar sentados nas pedras apreciando o visual.

Sentados? Sem essa. Olhamos um para o outro e decidimos cair na água, saltando dali onde estávamos. E foi então que vivi uma sensação de medo e euforia ao mesmo tempo: estávamos cercados por tartarugas gigantes. Nadávamos ao lado delas, mergulhávamos com elas – meus olhos não estavam apenas abertos, e sim arregalados. Voltei a ser criança.

À noite, jantar especial na encantadora Pousada Zé Maria, onde tomamos champanhe e vinho tinto, comemos peixe com camarões flambados e um divino purê de castanhas, e quando já me sentia mais do que festejada, surgiu um bolo com velas e o restaurante inteiro cantou parabéns a você. Achei que havia abusado da bebida, que aquilo era fruto da minha imaginação, não podia estar acontecendo comigo, mas estava: quanto mais odeio pagar mico, mais meu namorado provoca. Ele e sua turma íntima de garçons e garçonetes.

Amanheceu nublado no dia seguinte e resolvemos fazer um passeio de barco. Escolhemos o *Trovão dos Mares* e lá fomos nós ver os golfinhos de perto e circundar a ilha, até que o barco parou na Baía do Sancho, nossa conhecida, e como aquele lugar é incompatível com qualquer das 50 tonalidades de cinza existentes, o sol reapareceu trazendo o azul de volta. Almoçamos no barco mesmo: peixe, arroz, salada, purê e abacaxi. No trajeto de volta para o porto, houve um convite aos mais aventureiros para usarem uma prancha amarrada ao barco, assim seria possível avistar arraias embaixo d'água e até uma embarcação naufragada. Não fui, mas meu namorado encarou o desafio e me contou tudo, o que foi quase como se eu tivesse ido.

O dia não terminou assim. Ainda fizemos mergulho na Baía do Sueste, que apesar de estar num dia de águas turvas, permitiu que víssemos peixes cor de laranja com listras pretas, peixes vermelhos com bolinhas amarelas, peixes verdes com a cabeça azul, e até outras tartarugas de bom tamanho. Já éramos uma família.

Também não terminou assim. A noite caía quando voltamos ao porto para ver o ritual de alimentação de tubarões. A plateia é convidada a sentar em pedras na beira do mar enquanto um pescador joga postas de peixe fresco na água para atrair os filhotes (os grandões encalhariam). É uma emoção ver as quilhas se aproximando. Não há como não escutar dentro da cabeça a trilha sonora de *Jaws* de Steven Spielberg (tan-tan-tan-tan-tan). Então, de repente, se vê aqueles dentes pontiagudos abocanhando seu quinhão e nadando de volta para as profundezas. É engraçado como muitos turistas que estão sentados bem na beira recolhem suas pernas. Entendo. Vá saber: o tubarão pode ser meio esquizofrênico e escalar as pedras feito um leão-marinho. Melhor não deixar o calcanhar dando sopa.

E ainda não terminou. Jantamos no modesto restaurante Tartarugão e depois ainda assistimos a uma palestra do repórter Francisco José, patrocinada pelo Projeto Tamar, que tem a missão de conscientizar sobre preservação do meio ambiente. Foi interessante, mas estávamos tão cansados que saímos antes de terminar, pegamos nosso buggy e nos recolhemos ao hotel, onde era possível exercitar na prática a consciência ambiental: nosso quarto ficava em meio à relva, e era tanto bicho inesperado que surgia no banheiro que dava vontade de matar a chineladas. Mas, nem pensar, e a consciência?

O dia seguinte seria o último. Acordamos com um sol desaforado de tão potente e voltamos a Baía dos Porcos, nossa eleita, a microenseada onde fizemos amizade com as tartarugas gigantes e que agora possibilitava o acesso à praia, já que era cedo e a maré não atrapalhava os planos.

Ocupamos nosso espaço na areia, lemos, namoramos, nadamos e então levantamos acampamento e fomos para a Praia do Cachorro, a única com infraestrutura: lá pelas tantas, faz falta uma cervejinha, sei que você concorda. Escolhemos uma mesa de frente para o mar, ali almoçamos e ali nos despedimos do paraíso. À tardinha pegamos o voo de volta para Recife, onde dormimos mais uma noite. Retornamos para Porto Alegre só na manhã seguinte. O pensamento que me invade quando relembro esses três dias em Fernando de Noronha cabem em duas palavras: obrigatório voltar.

MARROCOS: SALAM ALEIKUM!

Sempre tive muita vontade de conhecer o Marrocos, até que em 2009 surgiu uma oportunidade que fugia um pouco aos moldes habituais a que eu estava acostumada a viajar. Uma querida amiga, professora de história da arte, estava organizando um grupo para excursionar pelo país africano, a exemplo de outros grupos que ela já havia levado à Rússia e ao Egito, com total sucesso. É Clarisse Linhares, que com sua sócia, Mylene Rizzo, conduz o *Encontros com Arte*, um curso tão bem-sucedido que acabou gerando o projeto *Viajando com Arte* em parceria com a Porto Brasil Viagens, uma das mais prestigiadas agências de turismo do sul do país.

Não havia dúvida sobre o profissionalismo das organizadoras, mas eu me adaptaria a viajar numa excursão? Nunca havia feito isso (a não ser em excursão de colégio, em que a farra adolescente elimina qualquer juízo de valor) e nutria um certo preconceito contra a modalidade. Não me agradava a ideia de sair mundo afora acompanhada de pessoas que nunca havia visto e cumprir um roteiro pré-determinado, sem chance de fuga.

Mas tinha essa amiga. Dividiríamos o quarto, o que já facilitava as coisas. E seriam apenas 10 dias, não tiraria pedaço. Estava brigada com o namorado e disposta a dar uma sacudida na rotina. Hora de deixar de ser boba e experimentar situações novas.

Conheci o grupo no aeroporto Salgado Filho, na hora do embarque. Éramos 28 pessoas. Os dois mais jovens formavam um casal em torno dos 35 anos. A mais madura já tinha 80, mas um pique parelho aos demais. Me senti sem pai nem mãe. Não sou muito adepta da conversa fácil, jamais ganharia a faixa de miss simpatia em meio a estranhos, mas rapidamente me dei conta de que o sucesso da empreitada dependeria de eu aliviar a tensão. Se pra tudo existe uma primeira vez, essa seria minha primeira vez de ser diferente de mim mesma. No fim das contas, nem precisei ser falsa. O grupo era composto de gente culta, educada e divertida. Se por um acaso, lá pelas tantas, eu colocasse a mão na testa e me perguntasse "que raios estou fazendo aqui?", teria a resposta na ponta da língua: vivendo.

Desembarcamos primeiramente em Madri, onde chegamos num sábado de sol convidativo. Largamos as malas no ótimo Hotel de la Reina e então foi cada um por si. O único compromisso era nos reencontrarmos na manhã seguinte, no café, para prosseguir viagem até Casablanca. Oba, já gostei: uma tarde soltinha na capital espanhola, meu número.

Tomei uma ducha e fui direto para a Plaza Mayor, passando antes pela Puerta del Sol. A cidade pulsava e eu acompanhava o ritmo. Sabia que era improvável que nos próximos dias eu tivesse outros momentos assim, a sós, e aproveitei para curtir minha própria companhia, com a qual me entendo feito uma alma gêmea. Ao chegar num restaurante da Plaza, escolhi uma mesa de frente para o crime, arregacei as mangas, pedi um cálice de vinho branco gelado e camarões al ajillo, saquei minha caderneta da mochila e me pus a escrever sobre o que eu via e sentia diante daquele desfile de turistas nórdicos, de espanholas almodovarianas e de pintores de rua. Estava em casa.

À noite, formamos um pequeno grupo de seis e fomos jantar no festivo bairro de Chueca, no La Bardemcilla, restaurante da família do ator Javier Bardem. Ambiente ótimo, papo agradável. Tomamos sangria e comi uma salada de salmão com endívias muy saborosa, mas a gula estava nos olhos: ele aparecerá? Costumo ter sorte na vida, mas não tanto a ponto de topar com Javier atrás do balcão, ajudando a mãe a fechar as contas.

Na manhã seguinte, aterrissamos em Casablanca e no aeroporto nos aguardava o Ali, guia que nos acompanharia até o final da turnê marroquina. Já estava afiada no idioma árabe, e assim que fomos apresentados, falei sem sotaque: *Salam Aleikum* ("Fique com Deus"), que é como se cumprimentam todos por lá. Ali respondeu *Alem come Salam* ("Deus fique contigo") e pronto, estávamos íntimos.

Fomos direto para um restaurante à beira-mar, o que instigava minha curiosidade: as marroquinas usariam biquíni? Durante o trajeto, reparei que a cidade era muito ocidentalizada, forrada de cartazes anunciando grifes, o que ia contra minha expectativa. Chegando ao restaurante, sentei numa mesa junto ao terraço no primeiro andar e dali

tentei espiar a praia, que mal podia ser espiada por causa
da bruma intensa e dos vários quiosques junto a um calçadão: havia, inclusive, um enorme McDonald's lembrando
que não estávamos tão longe de casa – ninguém mais está.
Mas descobri o que queria saber: as mulheres caminhavam
pelo calçadão com vestidos compridos e lenços na cabeça,
inadequadas ao ambiente, mas em total conformidade com
sua cultura e religião. Havíamos chegado ao Marrocos, sem
dúvida.

O dia continuou com uma visita ao principal ponto
turístico e de peregrinação de Casablanca, a imponente
Mesquita Hassan II, também à beira-mar. Muito linda e
nova, foi concluída em 1993. Mas não tão nova a ponto de
possuir vasos sanitários nos banheiros. Foi meu primeiro xixi
agachada num buraco, posição humilhante. O primeiro no
Marrocos, digo, pois já havia passado pela mesma experiência num simples, porém honesto restaurante em Paris, bem
pertinho da Place Saint-Sulpice. Provavelmente os donos
eram asiáticos. O local havia sido sugerido pelo escritor Luis
Fernando Verissimo, com quem eu jantava àquela noite junto
a outros amigos. A comida era ótima, mas ele nunca entrou
no banheiro feminino, óbvio.

De Casablanca encaramos uma viagem de três horas até
Marrakech, em meio a uma paisagem agrícola com muitos
fenos e um pôr do sol magnífico. Prefiro trem, mas também
gosto de viajar de ônibus, o pensamento fica solto, me sinto
verdadeiramente relaxada. A noite caiu e já podíamos ver,
bem ao longe, os pontinhos de luz da cidade. Foi então

que comecei a ouvir um zum-zum-zum dentro do ônibus, havia ali uma intenção que foi tomando conta dos outros passageiros, um ronronar musical. Não acreditei: eles vão cantar. Pelas barbas de Maomé, vai ter cantoria. "Motorista/motorista/olha o poste...". Será, Cristo? Mas foi bem mais suave. Alguém puxou uma frase melódica, outra pessoa acompanhou, e então algumas vozes cantaram a capella a inspirada "Qualquer coisa", de Caetano Veloso. "Mexe qualquer coisa dentro doida, já qualquer coisa doida dentro mexe". As luzes da cidade, que estavam longe, começaram a se aproximar, e nós (a essa altura eu já me incorporara ao coro) trocávamos sorrisos a cada vez que chegava naquela parte da canção que diz "Você já está pra lá de Marrakech", e eu sei muito bem que você está achando a cena piegas de doer, mas confie em mim, estávamos todos exaustos, sem defesas, entregues à sensação de pertencer a um poema. Foi lindo. Piegas, mas lindo.

Quando chegamos ao hotel, meu queixo caiu. Apesar de ser um hotel de rede multinacional, não havia um pingo de impessoalidade ali. Tudo estava em perfeita harmonia com a cultura marroquina e para onde se olhasse era êxtase na certa, a começar pelo funcionário oferecendo chá num salão repleto de sofás, almofadas, castiçais, tapetes e centenas de rosas vermelhas de um tamanho que não acreditei – anabolizadas, só pode. Todas as paredes eram forradas de tecido, assim como os elevadores. As sacadas dos quartos davam para a área das piscinas, que eram gigantescas e cercadas por palmeiras e um jardim cinematográfico, e ao fundo víamos um grande terreno aberto (que já não fazia parte do hotel) que funcionava como uma espécie de estacionamento de camelos, o que dava um aspecto surreal ao panorama: não é toda hora que se acorda e a primeira imagem do dia são camelos passeando em câmera lenta. Claro que essa suntuosidade poderia passar por cafona se estivéssemos num hotel em Salvador, mas estando em Marrakech, nada mais adequado. Quem não gosta de brincar de sultão?

Tivemos uma hora para ajeitar nossas coisas antes de sair para jantar. Encerramos a noite no belíssimo Dar Moha, restaurante de culinária marroquina com inspiração francesa, onde provamos o menu degustação em mesas no jardim, a beira de uma piscina com um lindo mosaico no fundo. Muito vinho tinto depois, voltamos ao hotel, tomamos uma bela ducha com produtos L'Occitane que eram perdulariamente oferecidos na bancada do banheiro e fomos para a cama já a fim de acordar de uma vez, para finalmente conhecer o exotismo que se prenunciava.

Marrakech tem seus recantos secretos e eles não estão escondidos nas ruelas da medina, e sim longe da vista dos turistas. Um dos lugares mais encantadores da cidade é o Jardim Majorelle, um pouco afastado da cidade, que encantou Yves Saint Laurent a ponto de ele fixar residência no local. Hoje há um memorial em homenagem ao estilista, assim como uma pequena lojinha que, entre vários gadgets, vende também alguns esboços de vestidos desenhados pelo renomado costureiro francês. Além da exuberância e diversidade de espécies vegetais que o Majorelle preserva, há também um pequeno e acolhedor café para uma providencial pausa para um suco. Outro local afastado do centro que vale a pena conhecer é o exclusivo Hotel Amanjena, um oásis silencioso que hospeda celebridades mundiais – tente ao menos almoçar no local para usufruir de sua atmosfera sedutora. Com sorte, você cruza com Hillary Clinton ou Orlando Bloom – eles estavam hospedados lá na ocasião. Mas é no centro da cidade que a cultura e a história do Marrocos se apresentam aos nossos olhos, através da Mesquita Koutoubia e o Palácio Bahia, onde se encontram os mais belos mosaicos da cidade. E em termos de ponto turístico, não há concorrência para o souk – o mercado a céu aberto dentro da medina.

Percorrer as estreitas ruas do souk é um convite ao desatino. Não há como não se sentir atraído por tantos produtos coloridos e exóticos: tapetes, panos, caftãs, incensos, cerâmicas, luminárias, chás, colares, especiarias. Resistir, quem há de? Você não vai para Marrakech para fazer compras na Zara. Porém, prepare o espírito para a arte da negociação, pois se há uma coisa que não existe por lá é o hábito de entrar numa loja e dizer "só estou dando uma olhadinha" e assim não ser perturbado. Como todos os países de cultura árabe, os comerciantes partem para cima dos turistas feito gaviões. Eles seguem você pela rua, perguntam de onde você é, e mesmo que você responda que é de Júpiter, eles encontrarão algum assunto relativo ao seu lugar de origem para forçarem uma conversa e o arrastarem até a loja deles. Estando lá, basta que você olhe com um leve ar de cobiça para o que estiver exposto e danou-se. Você vai perguntar o preço e, sem saber, terá dado o pontapé inicial para o hábito que mais dá prazer aos residentes do país: pechinchar.

Pechinchar pode ser lucrativo e pode ser estafante. É lucrativo quando você sabe que o vendedor está pedindo demais e ele sabe que você está oferecendo de menos, e conseguem (depois de 20 minutos de prosa) chegar num valor de bom tamanho para ambas as partes. E é estafante quando você está apenas dando uma olhadinha mesmo, sem tempo para trelelé, e o vendedor está desesperado para vender.

Aí, escolham as armas.

Eu não tenho a menor paciência para esse jogo de cartas marcadas, em que um pede um valor absurdo, o outro oferece um valor humilhante, até atingir um empate conciliatório. Prefiro a paz de um preço fixo. Fazer compras em terra de mercadores me deixou tão pirada que teve um dia em que um cara disse que não me venderia um castiçal por menos de 80 dirham, que é a moeda local, e eu já tonta com aquele assunto disse: "80 dirham? Abuso. Dou 100, é minha última oferta".

Para recobrar o equilíbrio físico e mental depois dessa guerra de nervos consumista, nada como terminar o dia na vibrante e espaçosa Praça Djemaa El-Fna, ponto de encontro de vendedores de comida típica, encantadores de serpentes, adestradores de macacos, tatuadores de hena, vendedores de água, charretes para passeio e diversos cafés com terraços de onde se pode vislumbrar essa bagunça toda enquanto a lua nasce no céu e os minaretes chamam os moradores para as orações do final do dia. É um clima festivo e absolutamente exótico. Não esqueça as sacolas no terraço quando sair: você estará carregando muitas.

O Marrocos me surpreendeu com cidades muito diferentes entre si, mas cada uma fascinante a seu modo, como Ouarzazate, Fez, Ifrane e Chefchaouen, sem falar nos vilarejos à beira das estradas – pretendo voltar um dia e atravessar o país de carro, livremente, sem tempo cronometrado para visitas. Mas o grande momento dessa turnê em grupo foi o acampamento noturno dentro do Saara. Bom, ninguém é mais criança e sabe que na verdade não se vai até o coração do deserto, fica-se ali na borda: a qualquer imprevisto, uma land rover surgirá por trás das dunas para resgatar os aflitos. Por outro lado, é preciso ser um pouco criança, sim, para acreditar em ilusões e tirar o melhor proveito delas. E assim foi. Chegamos na cidade de Merzouga no início da tarde – dali o ônibus não tem como seguir adiante. Fomos então distribuídos em várias caminhonetes com motoristas tuaregues que nos levaram até o hotel Kasbah Tombouctou – para chegar lá, cruza-se uma trilha do rali Paris-Dakar, emocionante. Deixamos nossas malas no hotel, preparamos uma pequena mochila só com o essencial e então colocaram enormes lenços em volta de nossas cabeças para proteger do vento. Devidamente paramentados, lá fomos nós de novo de caminhonete até onde um comboio de camelos (o coletivo de camelo é cáfila, mas comboio me soa melhor, releve) nos esperava para iniciar a aventura. Eu nunca tinha montado num camelo. Para falar a verdade, mal sabia andar a cavalo.

Que jeito. Montei no animal a mim destinado, que aguardava pacificamente ajoelhado na areia. Todos a postos, hora de iniciar a subida pelas dunas. O bicho então se levanta corcoveando e a gente jura que vai ser ejetado, mas ninguém desaba. Lá fomos nós, divididos em grupos de oito, um camelo amarrado ao outro para não haver dispersão, puxados por um tuaregue que seguia na frente, a pé. O visual era de arrebatar. Aquela imensidão de areia cor de laranja, o sol se pondo atrás das dunas e um silêncio que seria sacrilégio interromper. Ninguém falava para não perturbar a sacralidade da nossa entrada no deserto. E subíamos as dunas. E descíamos. E subíamos de novo. Eu já começava a sentir o incômodo causado pelo cocuruto do bicho em região delicada do meu corpo, mas sem queixas: segura, peão. Houve uma parada estratégica diante de uma enorme duna. Os camelos ajoelharam-se, obedientes, a gente apeou e escalou aquela montanha de areia. A intenção era ver o restinho de sol caindo no horizonte e o mundaréu de vazio que nos circundava, e assim fizemos. Ventava barbaramente e entendemos o motivo de todos os habitantes da região usarem lenços para cobrirem a cabeça.

Voltamos para nosso meio de transporte e seguimos viagem, e quando já estávamos bem desconfortáveis tentando se acomodar àquele passo cadenciado dos camelos, começamos a ouvir tambores. O som foi aumentando, aumentando, e de repente, quando alcançamos o alto de uma duna, vislumbramos lá embaixo nosso acampamento. Miragem. O som vinha de músicos afros vestidos com túnicas brancas

tocando o ritmo Gnawa, que é bem tribal. Apeamos definitivamente e fomos recepcionados com vinho e fogueira. Eu
não queria estar em outro lugar no mundo. O acampamento
era todo feito de tapetes: chão de tapete, paredes de tapete,
teto de tapete. Quartos com banheiro e ducha: rusticidade
cinco estrelas. Dançamos. Brindamos. E foi então que vimos
uma enorme mesa de jantar, com cuscuz e outras iguarias
a nosso dispor. Fartamo-nos, rimos, brindamos de novo. À
beira do fogo, o Ali, nosso guia, foi convocado a falar sobre
as tradições locais: era mesmo verdade que as mulheres eram
avaliadas pelo número de camelos que um homem dava por
elas? Era verdade. Foi então que ele olhou languidamente
para mim e disse: "Pela Martha, por exemplo, eu daria todos
os camelos do Marrocos". Viva, viva!! Todos ergueram seus
copos, enquanto eu fingia estar totalmente à vontade com
a proposta. Ele pediu silêncio porque ainda não acabara. "E
também todos os camelos da Argélia". Uau!!! Viva, viva!! As
mulheres do grupo começaram secretamente a me invejar.
Ali pediu silêncio novamente e concluiu: "E ainda a flor mais
rara e bela que eu encontrasse nò deserto". Gamei.

Às 23h, a energia elétrica foi desligada, o fogo apagou
(inclusive o do Ali, para meu sossego) e fomos todos para
nossos aposentos atapetados. A cama era cama mesmo, não
deitamos no chão. Não lembro de outra noite em eu que
tenha dormido tão profundamente. O silêncio do deserto é
mais eficiente que Rivotril e não tem contraindicações.

Desnecessário dizer que acordamos antes de o sol
nascer e fomos todos para cima de uma duna ver o astro-rei

inaugurar o novo dia. Fazia frio. E havia mágica no ar. Falávamos em voz baixa para não acordar os deuses. Com o sol já erguido, voltamos ao acampamento, onde nos esperava uma farta mesa de café da manhã e a lembrança de um passeio fora do comum. Bye, bye, camelos. Voltamos de caminhonete para a vida adulta. Nunca mais vi o Ali. Ele será para sempre meu plano B.

MIL VEZES O RIO

A primeira vez que fui ao Rio de Janeiro tinha 12 anos. Fui com meu pai, minha mãe e meu irmão, todos amontoados num Karmanguia TC. Meu pai devia ter algum complexo por não ser piloto de Fórmula 1, ao menos é a explicação que eu encontro para ele dirigir com os dois braços completamente estendidos e o banco reclinado a distância máxima do volante. Ou seja, eu e meu irmão viajamos 1.500 km de Porto Alegre até o Rio sentados atrás do banco da minha mãe. Deve ser por isso que somos tão próximos até hoje.

Ficamos hospedados em Copacabana, a uma quadra da praia. Lembro que a janela do nosso quarto dava para os fundos de dois imensos prédios, com uma pequeníssima lacuna entre eles. Lacuna essa que permitia que eu enxergasse um pedacinho ínfimo da Avenida Atlântica, tão ínfimo que, quando passava uma bicicleta no calçadão, antes que aparecesse a segunda roda, a primeira já tinha desaparecido. Ainda assim tive a pachorra de voltar para casa dizendo que havia ficado num hotel com vista para o mar. Uma mentira parcial, aos 12 anos de idade, não parecia pecado.

O que mais lembro daqueles dias era do cheiro do Rio. Um cheiro de maresia, diferente dos que já havia sentido. A cidade tinha uma energia própria e um idioma próprio também, com uma quantidade extra de erres e esses que no sul não se costuma esbanjar. Além do cheiro, o Rio tinha gosto. O gosto da liberdade e da descompostura.

A primeira vez que eu andei de avião também foi em direção ao Rio, aos 14. E dali por diante voltei ao Rio aos 15, aos 16, aos 17, sempre passando na cidade as férias escolares de julho, ora com minha mãe e meu irmão, ora com a minha amiga Katia no apartamento da avó dela, que ficava na rua Rainha Elizabeth, esquina com a avenida Atlântica. Sempre em Copacabana. Passávamos o dia inteiro pegando praia no posto 6, e à tardinha fazíamos algum passeio turístico (Pão de Açúcar, Corcovado, Floresta da Tijuca, feirinha da Pç. Marechal Osório). À noite lanchávamos no Chaika, que existe até hoje, e dançávamos na Papagaio. Estamos falando do final da década de 70.

Depois estive no primeiro Rock in Rio, como se sabe, e então entrei num longo e profundo jejum de Rio de Janeiro. Em função do meu trabalho como publicitária, ia muito mais a São Paulo. E, depois de casada, comecei a viajar para fora do país. O Rio sumiu do meu mapa. Não lembrava mais do cheiro, do gosto, nem da cor.

Até que em 1995 – exatamente 10 anos depois do festival de rock – recebi um convite da poeta e atriz Elisa Lucinda para ir ao Rio assistir a uma performance poética que ela estava conduzindo na Livraria Letras & Expressões, na Visconde de Pirajá. O sarau inteiro seria dedicado a poemas meus. Como recusar? Elisa estava sendo de uma gentileza extrema, principalmente por divulgar meu trabalho fora de

Porto Alegre. Naquela época eu estava escrevendo crônicas somente há um ano e publicando apenas no jornal *Zero Hora*. Era uma completa estranha para os cariocas.

Elisa foi me buscar no aeroporto do Galeão junto com a poeta Maria Rezende, e de lá fomos direto para sua bonita casa nos altos do bairro Jardim Botânico, com uma linda vista para a Lagoa. Mais tarde, naquele mesmo dia, nos reunimos na livraria para ouvir Elisa e sua turma de alunos dizer poemas com um entusiasmo e uma eficiência que, até hoje, me impressiona. Lembro que estavam lá os atores Zezé Polessa e Guilherme Karam, que, para minha surpresa, disseram já conhecer a minha poesia, e também foi lá que conheci ao vivo uma carioca com quem já vinha trocando e-mails, Regina Pimentel, que veio a se tornar uma querida amiga. Depois de tantos anos, eu iniciava ali uma nova relação com a cidade, um relacionamento maduro do tipo amor pra sempre.

Impossível citar quantas outras vezes voltei ao Rio. É a cidade onde mais estou, quando não estou em casa. Fiz inúmeros amigos, tive o privilégio de me tornar colunista de seu principal jornal, *O Globo*, e passei a editar minhas obras de ficção também por uma importante editora local, a Objetiva. Pra completar, meu primeiro romance, *Divã*, virou febre no verão carioca de 2003 e em seguida se transformou em peça de teatro, em filme e em série de tevê, sempre conduzido pelo talento inquestionável de Lilia Cabral.

Aqui faço um parêntese. Fui muito noveleira quando garota. Hoje assisto menos, por falta de tempo, mas ainda gosto. Lembro que nas primeiras vezes em que ia ao Rio, um dos atrativos da viagem era ver gente famosa nas ruas, coisa que não se via nas ruas de Porto Alegre. Provincianismo assumido. Eu e minhas amigas vivíamos nos cutucando: olha ali a Rose di Primo, aquele não é o Chico Anysio? Certa vez tomei um suco no balcão de um boteco ao lado do jogador Tostão. Muitos e muitos anos depois, recebi um e-mail dele comentando sobre um texto de minha autoria. Quando iria imaginar que alguém que eu admirava a distância um dia se aproximaria em função do meu trabalho? Nem nos meus sonhos mais delirantes. E, no entanto, isso nunca mais parou de acontecer.

Na lista dos meus "nunca imaginei um dia", está um almoço com Millôr Fernandes no restaurante Satyricon, vários almoços com Lilia no Quadrucci e no Garcia e Rodrigues e um jantar na Urca (no belo apartamento da minha amiga Regina e seu marido Técio) com a presença de João Ubaldo Ribeiro, Zuenir Ventura, Geraldo Carneiro, Angela Vieira, Lulu Santos e Olivia Byington, entre tantos outros que sempre admirei. Com Cissa Guimarães, que levou para o teatro meu livro *Doidas e Santas,* estabeleci um vínculo de muito afeto, e lembro até hoje com saudade de uma tarde agradabilíssima na casa de Malu Mader. Conheci Lobão quando fui colunista da sua revista *Outracoisa,* tive a honra de ser entrevistada pelo elegante Roberto D'Ávila no Copacabana Palace, pelo genial Domingos Oliveira e sua Priscilla Rozenbaum, e muitas vezes pela competente Leda Nagle. Inacreditável foi dividir o palco com Cássia Kiss, que interpretou algumas de minhas crônicas num evento literário promovido pelo Centro Cultural Banco do Brasil. Da mesma forma, senti uma grande emoção ao assistir Ana Beatriz Nogueira dando vida aos personagens das cartas do meu livro *Tudo que eu queria te dizer*. Sem falar nos chopes com a Cristina Brasil, os papos com Régis Faria, o dia em que engasguei feio ao dar o primeiro gole em um drinque na companhia de Silvia Pfeifer (rimos até hoje desse mico histórico), das lições sobre I Ching que recebi da Viviane Mosé e no divertido dia em que virei entrevistadora, tendo a linda Patrícia Pillar como cobaia. Enfim, todos esses famosos que eu só conhecia pela televisão passaram a fazer parte da minha vida como se fôssemos iguais. Eu finjo que sou, quando estou com eles, mas eles jamais deixarão de ser meus ídolos, antes de tudo.

Encerrado o parágrafo "ilha de *Caras*". Voltemos ao assunto principal: a cidade do Rio de Janeiro.

Acabei elegendo Ipanema como meu QG. Tenho a impressão de que já me hospedei em quase todos os hotéis do bairro, e mais os do Leblon. É a região da cidade com a qual me identifico e me reconheço. As caminhadas pelo calçadão até o Arpoador, a salada gamberetti do Cafeína, os almoços no Alessandro & Frederico, a Casa de Cultura Laura Alvim, a Livraria da Travessa, a Casa do Saber, na Lagoa. Lugares em que sempre bato ponto.

Falando em Lagoa, impossível não comentar sobre a vez em que fiquei hospedada no belíssimo apartamento da minha amiga psicanalista Bia Kuhn, que, generosa, me entregou as chaves e se mandou da cidade durante o carnaval, deixando para mim a incumbência de regar suas plantas e de enfrentar o calor senegalês de fevereiro, quando eu faria meu batismo no Sambódromo. Era 2010 e eu nunca havia assistido ao desfile das escolas.

Compareci apenas a uma noite, no badalado camarote da Devassa, a convite de Alex Lerner. O Projac inteiro estava lá, mas meu interesse não era fazer social e muito menos tietar. Cheguei cedo e sentei na mureta, com as pernas pra fora, para não perder nada. De costas para os flashes, de frente para o ziriguidum.

Dizem que é o maior espetáculo da terra, e deve ser mesmo. Ainda não fui à festa de Parintins, no Amazonas, mas o Sambódromo me deslumbrou pela atmosfera simultaneamente luxuosa e popular, e fez meu coração bater forte com seus sambas-enredos. A passagem das baterias é de fazer levantar pacientes de UTI. Nunca vi nada tão vibrante. Fiquei até às 3h30 da manhã. Um recorde para a Cinderela aqui. Acredite: para mim, é como virar duas noites seguidas.

Não sou muito fã da Barra da Tijuca, mas tenho uma queda pela distante Prainha. Gosto de São Conrado e de ver as asas-deltas aterrissando na areia. Adoro passear de carro pela avenida Niemeyer. Acho a paisagem do aterro do Flamengo um assombro – aquele Pão de Açúcar saltando do mar é arrebatador. O Jardim Botânico é um dos mais belos do mundo. Já passei uma noite gostosíssima na Lapa comendo pizza, jogando sinuca e arrematando tudo com um show do Zeca Pagodinho na Fundição Progresso. O restaurante Aprazível, em Santa Tereza, está entre os meus preferidos. A chegada na Lagoa, depois de se atravessar o túnel

Rebouças, é o maior cartão de boas-vindas que uma cidade pode oferecer aos forasteiros. Mas o bairro de Ipanema, para mim, é a verdadeira cara do Rio, com o mar, os coqueiros, os vendedores de canga, os jogadores de vôlei, os surfistas, os turistas, os nativos, tudo e todos contribuindo para aquela paisagem em technicolor. O Rio de Janeiro em preto e branco não existe, a não ser no desenho dos calçadões.

A PUNTA QUE NÃO É LAS VEGAS

Hoje em dia as revistas de entretenimento, lazer e viagens já fornecem notícias abrangentes sobre Punta del Este, mas até pouco tempo atrás as publicações mostravam apenas artistas hospedados no hotel Conrad – melhor dizendo, *confinados* no hotel Conrad – como se a única coisa interessante do balneário fosse o seu cassino. Para quem curte a cidade, como eu, sempre foi doloroso ver a charmosa Punta ser confundida com uma Las Vegas.

Para não fugir à tradição familiar, a primeira vez que fui ao mais cobiçado ponto turístico do Uruguai foi com minha família, numa viagem de carro. Sim, num Karmanguia TC, não o mesmo que nos levou ao Rio, e sim outro. O piloto de Fórmula 1 é que era o mesmo.

Mas só fui me entrosar com a cidade já adulta, quando costumava passar os feriados de Páscoa em Montevidéu e sempre dava uma paradinha em Punta, fosse na ida ou na volta. Na época, minhas filhas eram pequenas e ainda passávamos nossos verões em Bombinhas (SC) e muitas vezes em Torres (RS), onde tínhamos apartamento, deixando Punta para os feriados de inverno. Só mais adiante reconheci que o fato de estar a 750km de distância de Porto Alegre não era motivo para dispensá-la de visitas mais frequentes e demoradas. O apartamento que tínhamos em Torres foi vendido e desde então Punta deixou de ser longe para estar logo ali.

O mar não é a coisa mais extraordinária de Punta, mas ao menos é azul. Tampouco tem uma temperatura agradável para mergulhos e braçadas, e não terá jamais. Ainda assim, Punta del Este é um destino que nos reconcilia com nossa civilidade latente.

Na península concentram-se as principais edificações. Prédios altos convivem com casas mais antigas, que circundam o farol. Bem na ponta, o branco é a cor predominante, fazendo lembrar vagamente a Grécia. As ruas são limpas e seguras, não há grades cercando as residências e o espírito é totalmente *carpe diem*. O sol que se põe no mar se despede avisando que o dia seguinte será ainda melhor. E sempre é.

Em Punta se encontra boa gastronomia, algumas butiques interessantes (não considero o forte do balneário, excetuando-se as lojas de decoração) e um visual que faz imaginar que estamos nos Estados Unidos – um Estados Unidos com classe. E é justamente a classe seu atrativo maior.

Às vezes chego a imaginar que há uma placa na entrada da cidade dizendo: "Perua não entra, canastrão também não". A cidade tem um jeito irreverente, despreocupado e natural. Não sei se as pessoas que frequentam Punta são influenciadas pelo ambiente, mas o fato é que todos parecem adotar uma postura compatível com o charme local. Eu diria que, se você não anda muito a fim de gastar em botox e cirurgias estéticas, basta dar um pulo em Punta del Este e conferir a transformação: todo mundo fica subitamente jovem e bonito. Será alguma coisa na água?

É mais provável que seja algo no vinho, na carne, nos doces e no sorvete. Talvez culpa da arquitetura e do astral da Barra e de Manantiales, bairros um pouco afastados do centro, cuja energia é absolutamente jovial e moderna, e de José Ignácio, que a mim não provoca palpitações, mas que os descolados elegeram como *the best of* entre todas as praias da região.

Talvez o frescor venha das caminhadas pelo calçadão à beira-mar. Sugestão de trajeto: iniciar pela conhecida escultura dos dedos que saem da areia, na Playa Brava, e circundar a ponta arredondada da península, concluindo o trajeto na marina, ou ainda mais adiante, na Parada 1 da Playa Mansa. O visual é cósmico, tal é a paz de espírito que nos invade.

A jovialidade que ganhamos em Punta pode ter relação também com uma circulada pela movimentada avenida Gorlero, em cujas esquinas sempre enxergamos o mar, não importa se olhando para a direita ou para a esquerda. Ou quem sabe o nosso rejuvenescimento venha dos passeios no bosque, onde encontramos mansões que nos fazem suspirar – não por acaso o bosque é conhecido como Beverly Hills – e cujo ar puro ainda é puro de verdade. Já sei: o vigor vem da ciclovia que margeia toda a Playa Brava, quem resiste a um passeio de bicicleta? Mas a maioria dos frequentadores de Punta certamente dirá que essa renovação é consequência direta da mudança de horários: acorda-se às 11h, vai-se à praia às 15h, janta-se às 22h e dorme-se só depois de dançar a noite toda numa das boates fervidas que aportam por lá, geralmente filiais das melhores casas noturnas de Buenos Aires ou Ibiza.

Eu, não é segredo pra ninguém, sempre cumpro o meu horário padrão, esteja no ponto do planeta em que estiver: acordo às 7h, caminho às 8h, vou à praia às 10h, almoço às 14h e vou dormir antes das doze badaladas, para não correr o risco de virar abóbora. Isso estando em férias num lugar inspirador. Em dias normais, no meu habitat de origem, antecipe uma hora em todo esse meu descritivo. E dont'cry for me: dizem que viver de forma regrada faz bem para a saúde.

Por fim, gosto de Punta por uma razão absolutamente fútil: para qualquer lado que se olhe, não há feiura. Tudo é bonito. Tudo tem a simplicidade do verdadeiro bom gosto. Encontra-se capricho em todos os detalhes. Não há descuidos, não há a excessos, nada é over.

A não ser o cassino, claro.

UM PULO ATÉ O JAPÃO

11 de março de 2011, sexta-feira, 8h30 da manhã. Estava bem acomodada na poltrona de couro do consultório da minha psicanalista, falando sei lá sobre que caraminhola, quando meu celular tocou. Pedi licença e atendi, já que era o pai das minhas filhas. Percebi que o assunto não era urgente e disse que retornaria a ligação mais tarde. Minha psi perguntou: aconteceu alguma coisa? Nada, respondi. Parece que houve mais um tremor de terra no Japão. Não sei por que ele está tão preocupado com isso.

Ele estava preocupado com isso porque já havia assistido pela tevê o que meus olhos ainda não haviam visto. As imagens de dezenas de carros sendo arrastados pelas águas furiosas de uma onda gigante que passou por cima de tudo que estava pela frente no norte daquele país. Um tsunami devastador, com consequências até então inimagináveis. Eu tinha passagem comprada justamente para Tóquio com embarque programado para dali a dois meses, e levaria a filha dele comigo.

Desde esse histórico tsunami, todos os amigos e parentes passaram a me olhar como se eu fosse uma inconsequente. Você vai viajar mesmo assim? Pois é, eu iria de qualquer jeito. Nem as notícias sobre os vazamentos radioativos na usina atômica de Fukushima me demoveram da ideia. Eu queria ir. Julia queria ainda mais. Minha filha mais velha sempre teve interesse pela cultura contemporânea do país, possui vários discos de bandas de rock japonesas e inclusive estudou dois anos o idioma. Num almoço de domingo em que eu estava meio altinha, cometi a insanidade de dizer que toparia ir ao Japão com ela, eu que nem em meus devaneios mais alucinados pensei em ir ao Japão um dia, e não lembro direito o que aconteceu em seguida, desconfio que ela fez eu assinar uma declaração em três vias e registrar firma em cartório. Logo depois eu estava comprando as passagens, reservando hotéis e ainda tinha me atrevido a colocar uma cereja nesse bolo: fazer um pit stop no Havaí. Não seria um tsunamizinho que me faria mudar de planos. Eu praticamente havia fechado um contrato familiar e minha palavra está acima até mesmo de catástrofes que merecem edição inteira do *Jornal Nacional*.

Faltavam duas semanas para o embarque e ainda me perguntavam: não vai desistir mesmo?

A resposta: dia 16 de maio, numa tarde esplendorosa de sol, o avião aterrissou no aeroporto de Honolulu depois de termos feito conexão em Chicago. A primeira parte da viagem tinha início. Aloha.

O hotel em que nos hospedamos ficava na avenida principal, a Kalakaua, de frente para a praia de Waikiki. A primeira impressão que tivemos de Honolulu é que era uma cidade cenográfica. Tudo perfeito demais. O mar azul-esverdeado, crianças aprendendo a surfar em marolas que pareciam artificiais, moças douradas cruzando a avenida em patins, garotos sarados atravessando a rua com suas pranchas embaixo do braço, turistas com camisas coloridas e colares de flores, os bares com tochas acesas, dançarinas de hula-hula fazendo coreografias ao som do ukelele em jardins públicos. Eu tive a nítida impressão de estar participando do filme *O show de Truman*. A qualquer momento um diretor gritaria "corta!", os figurantes voltariam para casa, o mar ficaria revolto e um temporal desabaria sobre o set.

Mas o diretor provavelmente tinha parentesco com Deus e permitiu que a cena progredisse. Na primeira noite, jantamos no terraço do Tiki's Grill & Bar, vendo o sol se pôr sobre o mar. Tim-tim: um brinde às férias que estavam apenas começando.

Logo descobrimos dentro do hotel um escritório da Budget e outro da Hertz. Entramos no primeiro, com a intenção de alugar um carro para a manhã seguinte. Só havia carro automático. Entramos no escritório vizinho: só automático também. Qual o problema? O problema é que a dinossaura aqui nunca dirigiu um carro automático e não estava a fim de aprender tão longe de casa. Mas o dia amanheceria, como sempre amanhece.

De manhã, bem cedinho, demos uma rápida caminhada pelo quarteirão dos fundos do hotel e encontramos justamente o que precisávamos: um quiosque sujo, mal ajeitado, com uma placa escrito "Rent a car" e um venezuelano atrás de um balcão, com cara de quem ainda não havia acordado direito. Perguntei num inglês compatível com a situação: tem carro com câmbio manual, aqueles de antigamente? O venezuelano (criado em Jerusalém, soubemos depois) disse que tinha um amigo que possuía outro quiosque sujo ali perto e que havia um jipe disponível. Entramos no carro do sujeito, confiando no santo que protege os viajantes que saem pelo mundo sem reservas prévias e sem noção do perigo, e fomos ao encontro do tal amigo. Estava lá o jipe. Glupt. Um jipe do exército, me pareceu. Verde-musgo e com uma quilometragem que vinha do tempo do Vietnã.

Negócio fechado. Passa a chave, venezuelano.

Eu nunca dirigi um veículo mais encarangado. Trocar de marcha era um exercício pesado de musculação e o barulho era infernal, o motor parecia que iria explodir assim que eu alcançasse a supersônica marca de 60km/h. Me mantive nos 40km/h e lá fomos nós para a estrada.

Nosso primeiro objetivo era Hanauma Bay, que sabíamos não ser muito longe, uns 20 km adiante. Chegamos, estacionamos e vimos de cima de um mirante o que nos esperava: mar verde-esmeralda, palmeiras, coqueiros, corais, peixinhos coloridos e uns 300 japoneses em férias. Entramos na fila para o ingresso (sete dólares per capita para ter acesso ao paraíso) e depois assistimos ao vídeo obrigatório que instrui sobre as regras de preservação do meio ambiente. Então descemos por uma longa rampa, esticamos uma canga na areia e ficamos observando a fauna humana, mais interessante que os peixinhos.

Lá pelas tantas, Julia e eu decidimos abandonar o paraíso

e vasculhar praias desconhecidas da ilha. O jipe aguentaria? Ai dele se não.

Já na segunda curva da estrada, depois de Hanauma, nosso coração disparou diante do visual. Era beleza demais para aquela hora da manhã – e já nem era cedo, aliás, nem lembro se ainda era manhã. Morros desciam até a estrada e logo beijavam o mar: a estrada era um fio dental entre os dois. Juro, as ondas batiam e respingavam no asfalto, e eram ondas azul-turquesa, contrastando com o verde daquela vegetação que já serviu de locação para o filme *Jurassic Park* – sou dinossaura, sei do que falo.

E assim foi até chegarmos a Lanikai, considerada uma das praias mais belas dos Estados Unidos. Demos uma caminhada, tiramos fotos e, mesmo com o título honroso que ela portava, resolvemos ir em frente, decididas a ver ondas de verdade, e não marolas. Seguimos até as famosas Sunset e Waimea, porém o mar seguia uma lagoa. Que constatação desoladora: o Havaí não tem ondas. Não em maio.

Na próxima vez, incluiremos no roteiro as outras ilhas desse arquipélago onde Kelly Slater fez seu nome. Sem onda, não é o Havaí dos sonhos.

Seguimos no espírito on the road, achando que dar a volta inteira na ilha de Oahu significaria circundar o mar e as montanhas sempre a 40km/h. Mas ao mudar de direção, do norte para o sul, de volta a Honolulu, caímos numa highway de quatro pistas. Ferozes e velozes zuniam a nosso lado a 200km/h, e nós com nosso jipe sequelado do Vietnã. Te segura, Julia. Vou acelerar até... até... uau, até 80km/h!

O carro não se desmanchou porque tenho crédito com meus anjos da guarda.

Ao retornar "para casa", ainda demos uma volta pelas intermediações de Diamond Head, o vulcão inativo que fica na ponta da praia de Waikiki, e por fim devolvemos o jipe. Voltamos caminhando da locadora (gentileza chamar aquele muquifo de locadora) e fomos para a praia, onde nos jogamos no mar e lá dentro ficamos até anoitecer, curtindo aquela água quase morna, quase termal. Relax merecido depois de um dia de intensas emoções. Jantamos no Hard Rock Café. Na idade da Julia, eu também gostava.

E assim foi Honolulu: mar verde, barcos coloridos, lojinhas charmosas, hula-hula nas ruas, Elvis Presley nos alto-falantes, colares de flores, um clima totalmente paz e amor, sem nenhum stress. Até que pegamos outro voo e – contraste! – aterrissamos em Blade Runner.

Ao chegar no aeroporto internacional de Narita, que fica a 60km de Tóquio, tive noção do que me aguardava: eu voltaria ao estágio pré-alfabetização. Não entendia nada do que estava escrito nos cartazes. Não entendia como funcionava o metrô. Não entendia o que todos diziam. Lost in translation. Julia, segura minha mão e não solta.

Fomos até o balcão de informações e perguntamos se alguém falava inglês. Uma gentil moça respondeu "Yes" e foi tudo o que entendi do seu inglês. Só mais tarde soube que os japoneses trocam o L pelo R, inclusive quando falam outros idiomas, então você pode calcular o tamanho da encrenca para quem está tentando entender o que eles dizem. Não que meu inglês seja digno de aplauso: tenho total familiaridade com o L e o R e mesmo assim faria Shakespeare corar, mas não sou funcionária de um balcão de informações de um dos mais movimentados aeroportos do mundo. A moça era um doce, mas errou na explicação sobre o metrô que deveríamos tomar para ir para nosso hotel. Quando estávamos quase sumindo de vista, percebemos que ela vinha correndo atrás de nós para corrigir a informação. Salvas no último minuto.

Entre a estação do aeroporto e a estação de Shinjuku, a viagem dura 60 minutos. Era um trem de superfície, o que nos possibilitava fazer o primeiro reconhecimento da cidade. Lembro claramente de ter pensado: cheguei a São Paulo. Só que São Paulo é mais perto e eu entendo o que está escrito.

Em nossa rotina habitual, no Brasil, mal percebemos a quantidade de informações com que somos bombardeados diariamente. Painéis publicitários, nomes de rua, fachadas de lojas, enfim, estamos lendo o tempo inteiro. Foi então que me dei conta de que essa constante interpretação de letras também entraria em férias nos próximos dias. Ler ou não ler, pela primeira vez na minha vida, tanto fazia.

Ao descer na estação de Shinjuku, pirei, mas em silêncio, como manda a educação. Se fosse um filme, eu estaria protagonizando aquela cena clássica em que a pessoa fica parada no meio de uma multidão, girando velozmente sobre si mesma enquanto olha para milhares de rostos que passam por ela sem a ver. Uma labirintite de boas-vindas.

Não caí no chão, caí em mim: eu não vou conseguir dominar essa cidade. Não vou nem tentar. Passei um bastão imaginário pra Julia e disse: é contigo. Por onde a gente sai? Shinjuku é a estação mais movimentada do mundo. Circulam diariamente por lá dois milhões de pessoas. É. Dois milhões a cada dia. Além do metrô, é também uma estação ferroviária, de onde partem e chegam diversos trens que unem Tóquio aos subúrbios. Dizem que há cerca de 100 saídas para a rua. Como encontrar a saída mais perto do nosso hotel? Balcão de informações. E pra que lado fica o balcão de informações?

Depois de muito trilhar dentro da estação, finalmente estávamos ao ar livre na eletrizante avenida Koshu-Kaido, cada uma puxando a sua mala, seguindo uma direção intuída, já que os endereços de Tóquio são enigmáticos, a maioria das ruas não possui nome e muito menos número nos prédios. Eu olhava para os lados meio atordoada, procurando pontos de referência. Ali, um café tailandês. Em frente, uma loja de conveniências. Será nossa vizinhança. É bom começar a se familiarizar. O ótimo senso de orientação da Julia nos levou até a porta principal do hotel, que ficava a umas quatro quadras de distância. Mais tarde, ficamos sabendo que o hotel possui uma ligação subterrânea com a estação de Shinjuku, o que foi providencial na hora de fechar as malas e voltar a pé até lá, já que chovia quando deixamos a cidade.

Nosso quarto ficava no penúltimo andar do hotel: eram 25 no total. No nosso andar havia umas 70 portas distribuídas ao longo de um interminável corredor que me fazia lembrar a cena célebre do filme *O iluminado*, aquela em que o menino pedala velozmente o seu triciclo. O hotel tinha exatamente mil quartos. Um seria nosso. Nosso microlar pelos próximos seis dias. Apartamento é a única coisa micro em Tóquio.

A primeira saída do hotel foi para reconhecimento, e logo deu para perceber que em Tóquio o que não falta é gente, e isso fica mais claro nas esquinas, quando todos se acumulam aguardando o sinal abrir – ninguém ousa atravessar sem que o sinal abra, mesmo que Buda em pessoa venha avisar que nenhum carro passará por ali nos próximos 20 minutos. Não importa, espera-se. Então, quando o sinal abre, aquela massa espessa se move como se fosse uma nuvem de gafanhotos.

A noite de Tóquio é iluminada por painéis eletrônicos que estão praticamente em todos os prédios, porém nem todos estavam acesos – sabíamos que havia um esforço para economizar energia em função das consequências do tsunami. Quem comparasse a Tóquio de antes da tragédia com a Tóquio de agora talvez percebesse a diferença, mas sendo nossa primeira vez, ela nos pareceu magnética igual, mesmo funcionando a meia-bomba.

Dormimos cedo e acordamos mais cedo ainda, desadaptadas com o horário local, e aproveitamos para fazer um programa condizente com os primeiros raios de sol da manhã: fomos conhecer o famoso mercado de peixes de Tsukiji, lugar onde, dizem, é uma farra testemunhar o leilão que os pescadores promovem junto aos donos de restaurantes. Porém, mesmo estando na rua antes das 7h, falhamos na boa intenção: o leilão costuma acontecer por volta das 5h da manhã. Vasculhamos o mercado e não encontramos o ponto nevrálgico da transação, que já havia encerrado. Mas nada de desânimo. A estação de metrô é logo ali. Próxima parada: o templo Senso-ji, em Asakusa.

As ruas do bairro Asakusa ainda estavam meio desertas, as lojas fechadas. De repente, vimos um grupo de estudantes com suas saias curtíssimas e suas meias três quartos se encaminhando para um mesmo ponto, e as seguimos. Na mosca. Logo estávamos na longa Nakamise--Dori, que é praticamente um camelódromo oriental, onde se encontram todos os suvenires obrigatórios: quimonos, bonequinhas, hashis, pentes, leques e obis. Mas estávamos mais interessadas no grande e imponente templo que se vislumbrava ao final da rua.

Faltaram-me palavras ao contemplar a enorme e linda lanterna vermelha pendente no portão Kaminarimon, o "Portão das Trevas", que conduz ao templo principal. A partir desse portão, chega-se ao queimador de incenso, e foi a primeira vez que assisti ao ritual que veria muitas outras vezes dali por diante: as pessoas colocam um incenso aceso numa base de areia e, com as mãos, atraem a fumaça para o próprio peito, acreditando que o gesto as tornará mais saudáveis. Fiz o mesmo, dias depois, mas não lá, e sim em um templo menor, menos importante e desabitado, em Kyoto. Espero que a singeleza do templo que escolhi não minimize o efeito da fé.

O pavilhão principal de Senso-ji tem as paredes enfeitadas com obras de arte e um altar muito colorido, florido e iluminado, onde havia um monge celebrando uma cerimônia silenciosa ao som de um toque de taiko (espécie de tambor) que causava forte impressão. Há diversos outros templos em volta, menores, onde acontecem apresentações de música e de gueixas, e também um pagode de cinco andares, mas o que mais me cativou foi a delicadeza de uma estátua dourada que fica quase escondida num pequeníssimo jardim. Chama-se Buda Nade Botokesan, uma figura miúda, sereníssima, polida pelas mãos de peregrinos que buscavam cura para certas doenças. Eu o poli um pouco mais.

O templo Senso-ji localiza-se bem perto do rio Sumida. Aproveitamos que estávamos naquela região para pegar um barco e fazer um tour hidroviário até Ginza, nosso próximo objetivo.

Não é a mesma coisa que passear pelo Sena, mas.

Desembarcamos no parque Hama e dali seguimos a pé até Ginza, bairro fervilhante da cidade, onde fica uma das esquinas mais famosas do mundo, o cruzamento Ginza Yon-Chome, onde está o arredondado edifício San'ai, todo feito de vidro e um dos mais iluminados de Tóquio, à noite. É um lugar com forte influência ocidental e onde se situa um bom número de lojas de grifes, entre elas a Abercrombie, que se especializou em ambientar suas lojas como se fossem trepidantes casas noturnas: você jura que é três da manhã mesmo que sejam três da tarde. A iluminação das escadarias é francamente inspirada na época do dancin' days e a beleza dos atendentes é de botar em risco a relação de muitos casais que visitam a loja.

Quase já sem pernas, ainda me arrastei até o Parque do Palácio Imperial, e ali joguei a toalha e me entreguei. Voei até o metrô e fui para casa – até hoje não perco essa mania de chamar hotel de casa.

Era apenas o primeiro dia completo e eu havia sido moída pelo tamanho da cidade.

Finalmente me entendi com Tóquio no dia seguinte. A primeira surpresa foi o café da manhã do hotel: era um buffet executivo, fartíssimo para um almoço, já que incluía massa, porco e batatas fritas. Obelix iria adorar esse lanchinho frugal. Com sorte, vimos em uma mesinha lateral algo parecido com um breakfast como manda a tradição: suco de laranja, croissants, manteiga. Aliás, se o passeio de barco pelo rio Sumida em nada se parece com um passeio pelo Sena, digo em defesa nipônica que os melhores croissants da minha vida não foram degustados em Paris, e sim no 25º andar do Hotel Washington Shinjuku.

Depois de darmos uma banda pelas imediações do hotel, apreciando com calma a incrível arquitetura dos prédios mais altos e impactantes da cidade, pegamos um metrô e fomos para o parque Ueno, onde passamos a manhã curtindo a natureza e até nos permitimos voltar à infância através de uma visita ao zoológico, coisa que já havia incluído na minha lista de "nunca mais". Logo abandonamos os leões, elefantes e gorilas para excursionar por outras savanas: fomos para o bairro de Shibuya e finalmente encontrei a Tóquio dos meus sonhos. Não precisaria mais me incomodar com as distâncias e com a minha tonteira diante dos nomes das estações de metrô – eu poderia voltar a ser uma mulher independente. Descobri que de Shibuya até o nosso hotel dava uns 45 minutos de caminhada. Eu voltava a ser uma pessoa livre. Julia não precisava mais ser minha tutora.

Shibuya é um bairro moderno, ativo, bonito, com prédios instigantes, gente bem produzida e muitas lojas e restaurantes bacanas. Foi onde a moda japonesa me chamou mais a atenção. Os jovens desconhecem o conceito do ridículo e experimentam tudo, abusando da sobreposição de peças e com isso alcançando um resultado divertido e estiloso. Os japoneses são campeões em compostura social, então o jeito é extravasar através do figurino, é quando se permitem um certo atrevimento. Muita saia curta e shorts mais curtos ainda, mas, incrivelmente, não há nada de erótico nem apelativo nessa produção. Tóquio conserva sua vida sexual entre quatro paredes, não há o menor sinal de libido nas ruas, mesmo que meninas e meninos exponham boa parte do corpo. Há uma pureza no ar – e no olhar – que os protege contra qualquer vulgaridade.

A estação de metrô Shibuya é um conhecido ponto de encontro dos japoneses, principalmente em volta da estátua do Hashiko, famoso cão que ficou conhecido como símbolo de fidelidade por esperar seu dono todas as noites em frente à estação, depois de sua morte, por 10 anos consecutivos. Há um filme contando essa história, uma versão norte-americana estrelada por Richard Gere. Pelo Richard Gere, quem não daria um plantão de 10 anos?

Dali saem várias avenidas atraentes, como a Meiji-Dori.

Porém, a Champs Élysées do bairro é a famosa avenida Omotesando, paraíso para quem é viciada em grifes. Estão todas lá: Chanel, Armani, Louis Vuitton e família, todas em prédios incríveis, sendo o mais incrível o prédio da Prada, que está localizado numa continuação mais discreta da Omotesando, depois que se atravessa a também pulsante Aoyama-Dori. Está achando confuso? Ah, você está de má vontade.

Na Omotesando situa-se o pequeno e elegante shopping Omotesando Hills, que tem uma arquitetura interessante e um ponto de conexão com o Brasil: uma filial da Osklen. Mas o *mall* me pareceu sóbrio demais, e estava vazio. Creio que o povo prefere as lojas de rua, e com toda a razão. Aliás, uma mesinha na calçada no Café Anniversaire é ponto obrigatório para apreciar o vai e vem dos charmosos transeuntes da região. Mas curti mesmo foi o restaurante Las Chicas, localizado numa pequeníssima rua transversal da Aoyama-Dori. Para um almoço de sábado com tempo bom é a glória. Pessoas bonitas, cardápio variado, staff bilíngue, decoração descolada e boa música.

Outro ponto alto do bairro é a estação de Harajuku e cercanias, onde aos domingos pela manhã se reúne a garotada vestida de cosplay, e aqui vale uma breve explicação para quem não está familiarizado com essa manifestação da cultura pop. Cosplay é uma contração das palavras inglesas *costume* (fantasia) e *play* (brincadeira). Tudo começou nos Estados Unidos, há muitos e muitos anos, mas foram os japoneses que o popularizam a partir dos anos 90. Tudo consiste em vestir-se como se fosse um personagem de história em quadrinhos, de games ou de desenhos animados. No Brasil há muitos festivais de cosplays, com competições de originalidade. No Japão é febre, e o resultado é impressionante. A garotada se transforma em boneco, adota uma postura ficcional e se diverte. É uma explosão de inventividade e cores que tem, aos domingos, em Harajuku, seu grande momento de exposição. Tirar fotos é o grande barato dessa turma, então não há nenhum constrangimento em os turistas sacarem seus celulares e registrarem as figuras. É arte. E eles adoram.

A rua mais imperdível de Harajuku é a Takeshita-dori, um beco longo e estreito onde há a maior concentração de lojas de camisetas, fantasias para cosplay e quinquilharias que fisgam os estrangeiros.

E coroando tudo isso há o parque Yoyogi, que separa Shibuya de Shinjuku (o bairro onde estávamos hospedadas). Há pórticos de entrada feitos com grandes toras de madeira e muitas alamedas cobertas por cedros. São poucas as áreas a céu aberto. É, na verdade, um grande bosque (ao menos foi a impressão que tive no trajeto que costumava percorrer). Mas o atrativo principal do parque é Meiji, o mais importante santuário xintoísta de Tóquio, com vários templos. No Ano-Novo, é o lugar mais visitado da capital japonesa, ponto de peregrinação para quem busca boa sorte. No dia em que o visitamos, tivemos o privilégio de testemunhar as preliminares de um casamento bem de acordo com os costumes locais. Foi com emoção que vimos a noiva e o noivo, em trajes típicos da cerimônia, atravessarem o grande pátio do santuário acompanhados do monge que celebraria a união, e mais as damas de honra e convidados, no compasso de um moço que abria caminho tocando breves batidas em seu taiko. Tudo muito solene e diferente.

Tóquio é uma cidade inesgotável. Sei que ficamos devendo uma visita a outros bairros, mas seria preciso mais tempo para isso, e já tínhamos programado conhecer também Kyoto, distante 2 horas e meia pelo confortável, pontual e rápido trem-bala. Dica: quem está sentado à direita do vagão, aos 25 minutos de viagem começará a enxergar ao longe o monte Fuji. Aos 48 minutos, terá o Fuji de vizinho de janela, bem perto e nítido, no caso de o dia estar ensolarado.

Kyoto me agradou de cara. Logo percebi que era uma cidade mais compacta e acessível. Prédios de no máximo oito andares, largas avenidas e uma vegetação exuberante. Caminhamos muito por Gion, o bairro das gueixas, curtimos os restaurantes em Pontocho, que ficam em terraços abertos à beira do rio Kamo e nos encantamos com o Parque Maruyama – mal posso imaginar a beleza que deve ser na época da floração das cerejeiras.

O melhor programa da cidade foi ter pego um ônibus até o templo Ginkaju-ji e dali explorar com calma o Caminho do Filósofo, que vem a ser uma trilha de 1,5 km que margeia um pequeno canal, tudo em meio a uma vegetação cerrada, aos pés de um morro, com algumas lojinhas no início do trajeto e belos templos abertos a visitação, sendo que o mais cativante, em minha opinião, é o Eikan-Do, composto de vários prédios, altares suntuosos, um bonito pagode e um jardim que mais parecia uma pintura.

Outro programa interessante foi ir de trem até Nara, primeira capital do Japão e hoje um importante centro budista, onde está situado o exuberante Todai-Ji, templo que abriga o maior buda do país, uma estátua imponente de 16 metros de altura. É um lugar bastante atrativo, localizado no parque de Nara, onde centenas de cervos circulam livremente entre os visitantes. Julia e eu tivemos a infeliz ideia de comprar uns biscoitinhos para alimentar os bichos (atitude autorizada pela administração do parque) e, óbvio, gamaram. Sabe a cena de ataque de *Os pássaros*, de Hitchcock? Foi quase assim. Socorro. Só nos largaram de mão quando demos a comida toda de uma única vez. Xô.

O Japão fica longe. São intermináveis horas de voo. E 12 de fuso horário. Quando é 6h da manhã no Brasil, são 6h da tarde lá. E estão na nossa frente também em vários outros aspectos. Na educação, na organização, na seriedade com que cumprem seus compromissos, no respeito às leis, na limpeza de suas cidades, na segurança urbana, na preservação de seu patrimônio histórico e cultural e na paciência com que aguardam sua vez, sem promover jeitinhos e sem fazer muito barulho. É uma sociedade avançada tecnologicamente, mas o destaque vai para a compostura da população. Infelizmente, no Brasil, compostura costuma ser mal comparada com rigidez. Pena. É desprezada por muitos de nós, como se fosse um impedimento para a alegria e a informalidade. Tenho certeza de que poderíamos ser soltos e ao mesmo tempo educados, bastaria treinar desde pequeninhos.

Os japoneses são gentis de uma forma tocante. Fazem mesuras a todo instante, entregam qualquer objeto com ambas as mãos e possuem dificuldade extrema de dizer a palavra não. Vivi uma experiência engraçada no hotel. Havia comprado, numa delicatessen vizinha, alguns pães, queijos, patês e uma garrafa de vinho para fazer um piquenique no quarto mesmo, já que Julia iria sair com uma amiga. Quando fui dar início ao meu happy hour particular, me dei conta de que não tinha um abridor de vinho. Fui até o restaurante e solicitei um emprestado. E fiquei sabendo – depois de 15 minutos tentando me comunicar com a hostess – que era proibido levar ao quarto esse acessório. 15 minutos! Nós duas não conseguíamos nos entender. Nada de R e L no alfabeto deles, lembra? E, além disso, a moça recusava-se a usar a palavra não. Eu perguntei uma dezena de vezes: "Posso levar um abridor"? Ela apenas sorria. "Não posso levar?" Ela respondia: sim. "Então eu posso levar"? Ela voltava a sorrir. E eu não entendia que aquele sorriso era um "não" transmitido da forma mais calorosa e simpática possível. Parecíamos duas malucas, até que fiz um sinal de "já volto", busquei a garrafa no quarto e levei para o restaurante, onde foi aberta pelo maître. Foi então que me lembrei de que eu não tinha faca no quarto para cortar os queijos. Arrisquei perguntar, mesmo intuindo que a novela recomeçaria: "Podem me emprestar uma faca?". Ela inclinou a cabeça para o lado e riu daquele jeito meigo dela. Entendi. Deixa pra lá. Quase dei dois beijos em suas rosadas bochechas, para demonstrar que, de qualquer forma, eu era uma cliente satisfeita, mesmo tendo que cortar o queijo com os dentes e passar o patê com a ponta dos dedos. A civilidade da moça venceu.

Foi uma viagem excepcional, mas o que mais curti foi a companhia que tive a meu lado: minha filha que na época tinha 19 anos. É sempre uma aventura sair da mesmice cotidiana e enfrentar duas semanas de convivência ininterrupta, compartilhando quarto, refeições, imprevistos, silêncios e exclamações. Sempre nos demos bem, mas família é família. Não tinha certeza se sobreviveríamos sem sequelas, portanto, resolvi deixar meu lado maternal em casa: quem viajou com ela foi uma parceira de sonho. O Japão nunca havia feito parte dos meus anseios turísticos, mas tendo uma filha tão conhecedora de sua cultura, tão empolgada com sua música, tendo amigos que lá viviam e sabendo se comunicar em japonês, não tive escolha a não ser deixar de ser o general da banda e ceder o protagonismo da viagem àquela menina audaciosa que me orientava pelas ruas, que comprava os tíquetes de metrô, falava com os motoristas de táxi, me explicava o cardápio, ria do meu completo estrangeirismo e tirava as melhores fotos. Foi ela quem me levou, e não eu a ela.

Só mesmo se afastando da rotina para estabelecer uma intimidade menos invasiva e mais calorosa. Viagens propiciam isso, uma quebra de hierarquia e uma democrática união diante do desconhecimento mútuo.

O melhor de tudo não foi o mar verde-esmeralda da praia de Waikiki nem os painéis luminosos da noite de Tóquio, mas a descoberta de que a passagem do tempo pode ser muito gratificante, não só para minha filha, que recém está iniciando o vício de conhecer o mundo, mas para todos os que, já com muita quilometragem rodada, seguem conhecendo a si mesmos. Essa é a viagem mais proveitosa que há, e não termina nunca.

TARADA PELO PERU

Sempre tive atração pelo Peru, mas nunca soube explicar a origem. Quando pensava no país, me vinha à cabeça um gol que o Tostão marcou na Copa de 1970 contra a seleção peruana, em que ele entrou literalmente com bola e tudo e bateu a cabeça na trave, tendo que comemorar com o supercílio sangrando.

Não deve ter relação.

Lembro também de amigos surfistas que alugaram uma kombi e foram desbravar as ondas daquele país do qual, na época, não tínhamos nenhuma informação confiável. Pode ser que eu tenha começado a me interessar a partir dali – surfistas sempre me comoveram.

Mais tarde, comecei a ler Mario Vargas Llosa, e o Peru entrou definitivamente nas minhas aspirações. Mas uma amiga psicanalista diz que tudo isso é conversa, que minha atração pelo país acontece apenas pelo nome inspirador que ele tem.

Só pode ser gozação dela, mas respeito psicanalistas.

Pois estava o Peru quieto no mapa-múndi quando, em 2010, inauguraram um voo direto entre Porto Alegre e

Lima. Hum. No ano seguinte, as mesmas amigas que organizaram a viagem para o Marrocos lançaram um tour de uma semaninha pelo país do qual, segundo tese psicanalítica, todos nutrem uma tara secreta. Fui a primeira a me inscrever.

Voamos de Porto Alegre a Lima e imediatamente de Lima a Cusco, empolgadas em conhecer o mais comentado efeito turístico que a região provoca: a vertigem. Eu, que não confio muito em chás medicinais, já estava tomando Diamox há dois dias, orientada pelo meu neurologista, mas, mesmo assim, ao desembarcar, aceitei mascar as folhas de coca que uma peruana gentilmente me cedeu.

Eca. Coisa mais amarga. Troquei por um Trident e não pensei mais no assunto. Não pensar no assunto também ajuda.

Ficamos hospedadas no labiríntico e classudo hotel Aranwa, instalado num casarão que ocupa uma quadra inteira. Clássico, austero e com um atendimento que faz a gente acreditar que é importante. Havia convencido minha melhor amiga a ir junto nessa viagem, e nossa parceria foi um dos pontos altos da viagem. Nenhum atrito entre nós, nenhum mal-estar, nenhum desacordo, apenas muita risada.

O plano inicial era nos acomodarmos no hotel e ficar em repouso, aclimatando-se à altitude do lugar, mas não suporto tanto sossego. Me sentia como se tivesse sido criada a 3.500 metros acima do nível do mar, então fui dar uma pernada de reconhecimento pela cidade, e logo me vi na Plaza de Armas, o centro nevrálgico dessa cidade que foi o coração do Império Inca. Ampla e animada, é cercada por bares e restaurantes localizados nos mezaninos dos prédios históricos. Em volta dela, encontram-se diversas ruas estreitas cujas laterais foram erguidas com pedras enormes, e que nos conduzem a lojinhas de artesanato, tabacarias, igrejas, mosteiros e outras praças menores. Tudo de uma beleza simples e intocada pelos excessos do marketing e da globalização – felizmente, ainda há quem resista.

É contrastante ver os camponeses passeando pelas ruas com vestimentas hipercoloridas, puxando suas lhamas em meio a turistas de todas as nacionalidades, a maioria jovens aventureiros fazendo uma escala antes de conhecer Machu Picchu. Fica-se tão impregnado com a energia do local que não dá vontade de deixar a cidade. As ruínas podem esperar.

Na noite da chegada, tivemos o primeiro contato com outra grande atração peruana: a gastronomia. Jantamos no excelente Limo, onde pela primeira vez comi ceviche, um dos principais pratos da cozinha peruana e que virou moda no mundo inteiro. Madrecita, que sabor. Eu diria que é o primo latino do sashimi, só que mais gostoso. Peixe cru (ou camarão, lagosta) marinado com suco de lima ou limão e temperado com pimenta, cebola e coentro – essa receita simplificada é um atrevimento de minha parte, estou apenas dando uma ideia sobre a iguaria, pois há maneiras mais elaboradas de prepará-la.

Depois serviram um lomo com batatas (batatas, batatas, batatas, os peruanos são criados à batata, dizem que há mais de 3.000 variações) e morangos flambados de sobremesa. Como não é aconselhável beber álcool no dia em que se chega, por causa da altitude, tomei uma taça apenas de um malbec e muita água. Uma taça, para mim, significa "não bebi". Só a partir da segunda dose é que admito o crime.

Cusco é uma pequena cidade cercada de grandezas: suas montanhas, sua cultura, seus tesouros incas. Uma visita à Fortaleza de Sacsayhuamán comprova. Situada na parte alta da cidade, de lá se tem vista fantástica de toda a região. O Convento de São Domingo também fascina com seus pátios internos e acervo histórico, e a Catedral impressiona por sua opulência (muito ouro e prata), mas a gastronomia realmente suplantou as demais atrações. O almoço no Café MAP, que é o restaurante do Museu de Arte Pré-Colombino, foi um dos momentos inesquecíveis da viagem, com direito a aplauso coletivo para o chef.

Mas o melhor estava por vir. De Cusco, pegamos o mítico trem da linha Orient Express, o *Hiram Bingham*. A viagem começa logo ao chegar na estação ferroviária – às 9h da manhã somos recepcionados por músicos, dançarinos e um staff devidamente uniformizado servindo sucos, água e champanhe, ao gosto do freguês – champanhe é a única bebida alcoólica que se pode consumir a qualquer hora do dia sem risco de passar por alcoólatra. Não sou eu que digo, é a voz do povo. O povo das coberturas, naturalmente.

Então somos convidados a embarcar: o trem azul vai partir. E que trem. As paredes do vagão-restaurante são revestidas de madeira, as mesas são cobertas por toalhas de linho branco e todas possuem um pequeno abajur junto à janela, tal qual nos filmes. Mas como a hora do brunch servido a bordo ainda está longe, a pedida é ir para o último vagão, onde fica o bar e um espaço avarandado, aberto, com teto panorâmico, onde três talentosos músicos fazem um show particular enquanto os garçons servem mais e mais champanhe – não tome todas, ou não vai conseguir ajustar o foco para apreciar a paisagem deslumbrante: as montanhas que trocam de cor a cada curva, o rio Urubamba, os povoados ribeirinhos e até picos nevados. É uma viagem lenta, o trem não ultrapassa os 30km/h, mas quem está com pressa? Perto do meio-dia, é servido um sofisticado brunch, e mais champanhe, e mais vinho, e você começa a pensar que está tendo alucinações etílicas, mas não: a paisagem mudou de novo, agora você está em meio a jungle, dentro da Floresta Amazônica peruana.

Por fim, chegamos à estação de Aguas Calientes, aos pés de Machu Picchu. Fomos instalados no Hotel Inkaterra, que fica bem à saída da estação e cujos bangalôs são incrustados na selva. É um lindo santuário ecológico. Poderíamos ter descansado, mas nem cogitamos. Vam'bora para a primeira apreciação do tão badalado cartão-postal peruano. Será que ele é tudo isso mesmo?

Antes, uma breve explicação: Machu Picchu (o nome vem do quíchua *Machu Pikchu*, que significa "velha montanha") foi construída no século XV e tornou-se um importante centro do Império Inca. Resistiu à destruição promovida pela colonização espanhola devido à sua localização praticamente inacessível, razão pela qual ficou intocada e conservada durante mais de 400 anos. O que restou de suas ruínas foi descoberto e revelado para o mundo somente em 1911. Hoje é Patrimônio Mundial nomeado pela Unesco.

A ansiedade era grande. Caminhamos até a parada de onde saem, de 5 em 5 minutos, pequenos ônibus que levam à entrada da cidade de pedra. Uma vez embarcados, são 25 minutos de subida íngreme por uma estradinha sinuosa que passa rente ao despenhadeiro, sem guardrail – se você é uma pessoa impressionável, melhor não sentar junto à janela, para evitar maus pensamentos, ainda que me pareça inconcebível ter maus pensamentos diante do gigantismo da paisagem. Foi das coisas mais assombrosas que já vi. As montanhas que cercam Machu Picchu ou nos fazem rezar, ou nos fazem calar. Não há a menor chance de se ficar indiferente ou tagarelando sobre banalidades.

Ao descermos do ônibus, já se percebe que estamos em uma espécie de embaixada universal: veem-se pessoas de todas as partes do mundo dirigindo-se respeitosamente ao grande portão que conduz a uma espécie de país imaginário. Tanto é assim que, para os que desejam documentar essa fantasia no passaporte, há um carimbo local à disposição na entrada. É só chegar, pegar o carimbo, abrir seu passaporte em alguma página em branco e cravar: tum. Vim, vi e venci.

Mas você ainda não viu nada.

Eu, ao menos, não tinha visto nem sentido nada igual. É natural que fiquemos um tantinho decepcionados ao conhecer lugares mil vezes vistos em revistas, documentários, programas de tevê, já que a olho nu eles não contam com enquadramentos favoráveis nem photoshop. Pois Machu

Picchu não precisa de efeitos: *é* um efeito. Reverte nossa expectativa da forma mais positiva que se possa imaginar. É muito mais bonito e impactante do que nas fotografias. Baixa em nós a clara consciência do quanto somos pequenos em contraste com uma natureza tão majestosa. Lembro de ter pensado que talvez eu jamais tivesse conhecido esse lugar. Havia o risco, pois nunca foi um destino pelo qual eu alimentasse muito entusiasmo: estar ali era fruto de uma oportunidade, não de uma obstinação. Se me perguntassem, antes daquele 29 de outubro de 2011, se eu morreria em paz sem ter conhecido as muralhas incas, esnobaria – claro que sim. Só hoje eu sei o quanto teria perdido em deslumbramento, nós que nos deslumbramos com tão pouca coisa ultimamente.

O dia seguinte estava reservado para uma aventura. O grupo se encontraria às 6h da manhã no lobby do hotel e seria dividido em dois: aqueles que iriam caminhar pela trilha mais vertiginosa de Machu Picchu, que conduz ao icônico pico do Huayna Picchu, e aqueles que iriam trilhar um caminho menos íngreme por uma outra montanha, até chegar na Porta do Sol, a 2.720m de altitude. O terceiro grupo seria o dos que ficariam no hotel dormindo até mais tarde.

Eu havia me escalado para a segunda trilha, a que tinha um grau de dificuldade médio. Katia, minha colega de quarto e amiga de infância, optou por dormir até mais tarde. Programei o despertador do celular para me acordar às 5h da manhã. E às 5h ele tocou. Me vesti quieta pra não acordar a Katia, que acordou mesmo assim, claro. Peguei minha mochila, dissemos tchau, ela voltou a dormir e eu saí pela porta do quarto. Estava tudo escuro lá fora. Nosso bangalô era um dos mais afastados da recepção, ficava bem no alto, rente à vegetação nativa. Comecei a descer os degraus de pedra e estranhei que a iluminação interna do hotel ainda estivesse apagada. Lembrei dos comentários que haviam sido trocados durante o jantar na noite anterior. Rezava a lenda que alguns bichos da floresta visitavam o local de madrugada. Só me faltava surgir uma onça-pintada pela frente. Que eu estava dando mole, estava.

Continuei descendo, olhando para os outros bangalôs: tudo numa quietude e num breu de dar medo. Ao chegar lá embaixo, não havia um único integrante do grupo, apenas um recepcionista cabeceando de sono atrás de um balcão. Pelo visto, eu era a primeira a chegar. Resolvi ir ao banheiro do hotel, e assim que acendi a luz, dei uma espiada no meu relógio de pulso. Eram pouco mais de 2h da manhã. A gênia não se deu conta de que o celular não havia atualizado o fuso, ainda marcava o horário do Brasil, 3 horas à frente do horário peruano.

Meia-volta, volver.

Comecei a subir os degraus de volta ao bangalô, torcendo para que a onça-pintada pintasse. Ela e mais três, mais quatro, e que me devorassem até o último fio de cabelo, eu não merecia menos que isso. Ao me aproximar do quarto, começou a me dar um ataque de riso, pois vi que havia luz, Katia estava acordada. Eu não tinha chave para entrar, bati na porta e Katia abriu quase se urinando de tanto rir. "Sua louca!" Me atirei na cama às gargalhadas, nem descalcei as botinas. Depois do relato completo da minha demência, incluindo aí meu terror de que as onças estivessem me espionando por trás das árvores, tentamos voltar a dormir, mas quem disse. Ficávamos em silêncio por 15 segundos e logo estourávamos de novo de tanto rir, embriagadas de sono e adolescência. Três horas depois, sem ter pregado o olho, desci novamente às escadarias que me levariam ao café da manhã. Olhei para o céu: amanhecendo. Olhei para os outros bangalôs: luzes sendo acesas. Como é que eu não havia me dado conta antes?

Mesmo com o preparo físico abalado pela noite quase sem dormir, percorri a trilha até o final e foi dos visuais mais arrebatadores da viagem. Quando terminou, deixei o grupo e voltei sozinha, de ônibus, para o hotel. Antes, passei pelo mercado de Aguas Calientes, namorei o artesanato local, mas não comprei nada. Fui para o quarto e assim que coloquei os pés ali dentro, desabou lá fora uma chuva amazônica. Pedi um sanduíche pelo telefone, tomei um banho quente e passei o resto da tarde lendo e dormindo, devolvendo ao meu corpo um descanso reconciliatório.

Só à noite voltei a encontrar o grupo para participarmos, nos fundos do hotel, em meio à relva, de uma cerimônia conduzida por um xamã – o Pago a la Tierra, que faz parte dos antigos rituais andinos em homenagem a Pacha Mama (mãe terra). É interessante, uma espécie de candomblé, com culto aos símbolos da natureza, mas foi difícil entrar no clima. Tentei me compenetrar, mas algo dizia que meu riso seguia frouxo, o que não era adequado para a ocasião. De repente o xamã (uma espécie de pajé) ergueu um berrante e o soprou, provocando um som esticado e muito forte – começariam os pedidos para a montanha. Antes, sugeriu que um de nós soprasse o berrante também, quem se predisporia? Não acreditei quando Katia se levantou. Baixei a cabeça e disse para mim mesma: não quero ver. Mas vi. Vi quando das bochechas da Katia saiu um arzinho que não apagaria nem uma vela, quanto mais conduziria nossos desejos à montanha. E ela tentou de novo, e de novo, e nada do instrumento reagir diante dos lábios esforçados da minha amiga, de dentro dos quais só saía um suspiro até que valente, mas pífio, sem o menor poder de acordar os deuses. Comecei a rir de novo e, para não revoltar os espíritos das montanhas com minha falta de respeito, saí à francesa e fui atrás de um cálice de vinho no restaurante. Bastava de palhaçada.

No dia seguinte, sob chuva rala, partimos para Ollantaytambo, onde subimos a escadaria de pedra de uma imensa fortaleza para admirar, lá de cima, a paisagem do Vale Sagrado. Eu nunca esperei encontrar no Peru uma natureza tão imponente, tão extasiante. E tinha mais. Dali fomos a Pisac, um sonho de cidadezinha onde haveríamos de nos esbaldar em seu mercado, mas, antes, hora do almoço. Almoço? Desaforo chamar de almoço, foi um banquete incomum: em cima de uma colina, ao ar livre, sob um toldo branco, foram providenciadas duas mesas compridas, com toalhas rosas e azuis, onde foram servidos os mais deliciosos pratos de um dos melhores restaurantes de Cusco, o Cicciolina. Um piquenique cinco estrelas. De entrada, canapés de salmão indescritíveis. Depois, provei a macia carne de alpaca, sabor inédito. E mais uma dezena de quitutes e sobremesas, regados a muito vinho, num início de tarde em que o sol expulsou o chuvisco e reapareceu, conivente com nosso astral. O verde em volta, as plantações, tudo era espetacular. Vacas circulavam ao redor, algumas famílias de camponeses surgiam para nos cumprimentar, e a vontade era de não sair mais de dentro dessa pitoresca refeição que mais parecia estar acontecendo dentro de um quadro. Porém, estava quase chegando a hora de os comerciantes do mercado de Pisac encerrarem os trabalhos, e sabíamos que era onde encontraríamos o melhor artesanato peruano, quem haveria de resistir? Cruzamos os talheres, abandonamos nossos cálices, deixamos o campo e fomos para a praça principal da cidade. Nos atiramos às compras como se estivéssemos na Rodeo Drive.

Eu adoro uma quinquilharia. Não sou de fazer compras vultosas em viagens – sei de gente que traz faqueiro, jogo de chá, enxoval completo. Eu frequento apenas papelarias (adoro cadernos, agendas, canetas), lojas de discos (na época em que ainda existiam discos) e de acessórios (brincos, pulseiras, colares), tudo fácil de carregar. E nesses mercados festivos, localizados sob as árvores e onde se encontra de tudo, me atiro.

Comprei um tapete que foi embrulhado com tal competência que ficou do tamanho de um livro – hoje ele está estendido na sacada do meu apartamento. Trouxe pulseiras de madeira, um pano que virou toalha de mesa, um jogo de porta-copos desenhado por um artista da região, um par de meias de lã colorida e uns potes rústicos que são um char-me. Juntando tudo, não passei nem raspando pelo risco de excesso de bagagem.

O visual da estrada que nos levou de volta a Cusco foi outro arrebatamento, registre-se.

Por fim, Lima, nosso destino final. Talvez por estar desacostumada com o panorama urbano, a capital do Peru não me provocou calafrios, ainda que não se possa desprezar a fantástica vista dos quartos do hotel Miraflores, cujo janelão dá para as falésias e o mar. No entanto, como se acostumar a uma cidade cujo sol está proibido de entrar? Há uma névoa constante cobrindo Lima, em função das correntes maríti-mas. Ainda assim, vale a visita, destacando o Museu Rafael Larco Herrera. As flores na entrada do museu são um belo cartão de visitas e o acervo de arte pré-colombiana é inspi-rador, sem falar no restaurante adorável em meio ao jardim.

À noite, jantamos no famoso Astrid y Gastón, um pouco formal para o meu gosto, mas com apetitoso menu degustação, e encerramos o dia seguinte com um simpático tour de bicicleta, duas horas pedalando pelos bairros mais bucólicos da capital, passando pelo Parque dos Amores (que traz edificações semelhantes as de Gaudí) e encerrando com um almoço no conhecido Rosa Náutica, que fica na ponta de um trapiche, dentro do mar. Houve ainda um passeio pelo centro histórico a que não aderi, preferi descansar das minhas orgias gastronômicas e fechar as malas com calma. Antes de ir para o aeroporto, paramos para um último drinque de despedida num restaurante lindo e inusitado, em meio a um sítio arqueológico em pleno coração da urbe. Imagine tomar um pisco sour num sofá instalado de frente para uma pirâmide iluminada. Pois é. Anote aí, Huaca Pucllana é o nome desse delírio.

Não há como não se encantar com o Peru. Alta gastronomia, natureza intimidante de tão grandiosa, mar e selva, deserto e povoados intocados pela civilização, artesanato colorido e criativo, hotéis e restaurantes de primeira categoria, surpresas, diversão e cultura. Se voltarei? Con mucho gusto.

PINCELADAS SOBRE
O ATACAMA

Voltei do Peru tão empolgada que me predispus a continuar conhecendo melhor a América do Sul. O Chile foi o primeiro destino a considerar, e explico por quê. Apesar de ter vivido quase um ano em Santiago, tinha uma dívida com o país. Na verdade, duas. Não conhecia a região do extremo sul, com suas geleiras, e tampouco o deserto ao norte, que faz divisa com a Bolívia. Entre esses dois extremos, tive que escolher apenas um, já que não havia tempo disponível para cruzar o país inteiro, que é comprido à beça. Então esticamos o feriado de Páscoa, que coincidiu com nosso aniversário de seis anos de namoro, e lá fomos eu, "ele" e sua cuia de chimarrão para o deserto do Atacama.

Costumo me informar bastante sobre os lugares que vou visitar. Acredito que conhecimento prévio adiciona, não subtrai. Claro, corre-se o risco de a expectativa não se confirmar, mas o Atacama entrega o que promete. Todas as imagens triunfantes que vemos nas revistas, livros e sites são exatamente daquela forma, daquela cor – só o impacto é que é maior ao vivo.

Depois de dormir a primeira noite em Santiago, aterrissamos na tarde do dia 2 de abril de 2012 em Calama, vilarejo de mineradores instalado no meio do nada e cercado pela cordilheira dos Andes. A impressão era como a de chegar à lua – não por acaso a NASA utiliza o local como laboratório de testes. Uma van do hotel nos aguardava. Dali, iniciou-se o percurso de 100 km que leva do aeroporto a San Pedro de Atacama, quartel-general de onde saem todos os passeios pela região. Instantaneamente, muda-se o olhar, muda-se de pele. A terra penetra no corpo e a aridez consolida nosso primitivismo como se fosse um carimbo de entrada.

Foi viagem abastada: ao chegar no Tierra Atacama, um dos luxuosos hotéis da região com esquema *all inclusive* (vasto cardápio de excursões e todas as refeições e bebidas alcoólicas incluídas), me entreguei, sem culpa, a um sentimento de altivez. Tomei o pisco sour de boas-vindas e fui ajeitar nossas coisas em um quarto amplo e confortável, com vista para o vulcão Licancabur e uma varanda aberta para apreciação das estrelas e da vegetação rasteira que tínhamos como jardim. Privacidade total, uma casa de férias interplanetária.

O dia seguinte começou com uma visita ao Valle de la Luna, que não tem esse nome por acaso. Salvador, o guia, nos aguardava para um tour de quatro paradas pelas edificações impactantes de um território que já foi coberto pelo mar em tempos pré-históricos, e que hoje é considerado um monumento natural. O vento e a ação de outros agentes atmosféricos esculpiram uma paisagem espetacular, alaranjada, que contrasta em alguns pontos com um céu de um azul tão intenso que eu nem julgava existir. O ponto culminante dessa visita é a última parada, o Valle de la Muerte (dizem que tem esse nome porque desbravadores encontraram ossadas de antigos atacamenhos na região). É uma subida que exige certo fôlego, mas nada que alguma boa vontade e uma bota Timberland não ajude. Pela primeira vez vi dunas de areia – até então o deserto do Atacama me parecia constituído apenas de pedra. E em grande parte, é de pedra mesmo.

Volta ao hotel às 12h30, pit-stop à beira da piscina para um drinque, uma massagem, uma sauna e uma contempla-dinha no visual – a cordilheira dos Andes ainda apresentava picos nevados por causa de uma inesperada chuva que du-rou quase duas semanas em fevereiro, o que virou assunto constante entre os nativos, de tão assombroso. O clima tem se mostrado temperamental por lá também, ainda que seja um dos lugares mais seguros para se afirmar que o sol é do-minante. No nosso caso, foi.

No fim de tarde desse mesmo dia, fomos conhecer o Salar do Atacama. É uma viagem que dura mais ou menos uma hora, incluído aí uma parada em Toconao, pequeno vilarejo de cerca de 600 habitantes, cuja atração principal é uma pequena praça com uma igreja de 1744, uma bonita torre campanária em separado, e algumas míseras lojinhas de artesanato para aqueles que se desesperam se não fazem alguma compra. Eu me encantei foi por uma lhama solta pelas ruas de terra, inquieta, desacostumada com forasteiros.

Ao chegar durante o entardecer no Salar, tive a primeira sensação de estar dentro de uma tela. A variação de cores que o pôr do sol provoca nas montanhas é algo difícil de descre-ver. O local é repleto de cristais de sal gigantescos, formando um grande tapete branco com granulações. Essa paisagem exótica cerca a lagoa Chaxa, onde flamingos se reúnem e se alimentam de pequenos crustáceos e algas microscópicas. Tem gente que tem adoração por pinguim, canguru, suricato. Eu tenho adoração por flamingo.

Quando o sol desapareceu no horizonte, o céu pareceu incendiar, encheu-se de cores tão majestosas, tão pungentes, que, juro, fiquei sem palavras. Uma escritora sem palavras.

Retornando ao hotel, banho quente e jantar. Delicioso, diga-se. Nada daqueles buffets onde as pessoas ficam amontoadas como se tivessem visto pela primeira vez um prato de macarrão com polenta. O cardápio (duas sugestões de entrada, duas de prato principal, algumas de sobremesa e vinho a gosto) era de queimar os neurônios: difícil escolher entre o par de opções, ambas tentadoras, obras de um talentoso gourmet.

Porém, mesmo nessa vida de rei, impossível impedir o deserto de se introduzir por braços, mãos, pernas. A pele fica áspera como se fôssemos trabalhadores braçais. Muita água, muita manteiga de cacau, hidratantes a toda hora: paliativos. Fica-se impregnado de secura.

No segundo dia, o passeio que achei mais bacana: saímos de manhã com a guia Marcela para um trekking chamado Guatin/Gatchi. Deixamos o hotel de van até chegar ao Valle de Guatin, onde ocorre a união de dois rios, o Puritama de água quente e o Purifica de água fria, que unidos dão origem a um novo leito, o Vilama. Mas a grande atração do local são os cáctus gigantes, chamados lá de cardones. Me senti miúda entre a vegetação alta e intimidante. A caminhada não é simples nem fácil, avança-se por pedras úmidas, escorregadias. Margeia-se o rio, transpõe-se pequenas quedas d'águas, mas o grande desafio é manter a atenção no caminho sem deixar de contemplar a quantidade de cáctus que decoram esse ambiente hostil, porém deslumbrante. A aventura dura cerca de duas horas e fiquei muito satisfeita com meu desempenho – presunção é sempre um erro fatal. Me julgando descolada naquele sobe e desce no meio do mato, aconteceu: na reta final, quando já nem havia obstáculos, cometi a bobeada derradeira, pisei em falso, me desequilibrei e dei de cara numa pedra, abrindo o supercílio e herdando alguns hematomas pelo corpo. Nada que precisasse de ambulância (ainda bem, pois não vi nenhuma em um raio de mil quilômetros), e secretamente concordei com o comentário da minha filha, quando mais tarde escrevi para ela contando o episódio: "Muito bem, mãe, estou orgulhosa de ti – aventuras precisam deixar alguma marca".

Almoço, soneca, band-aid na testa: recomposta? Então nova programação: uma cavalgada pelo deserto.

Cavalo e eu, uma dupla que não nasceu uma para outra, mas como estava namorando um homem do campo, que nasceu montado no bicho, tinha que fazer a finta. Na verdade, aprendi a gostar, mas tenho medo. Não me acho capaz de controlar o animal, tenho por ele um respeito de quem se reconhece inferior. Mas vamos lá, upa. Nos deram um capacete (pois é, capacete – e querem que eu relaxe) e fomos para o meio do deserto, pocotó, pocotó. A primeira hora foi moleza, me sentia uma amazona, e o visual, pra variar, era de enlouquecer. A segunda hora foi um lembrete: está pensando que é a Athina Onassis? Doíam as costas, doíam as pernas, e a bunda, sem comentários. O visual? Que visual? Quero voltar para minha casa interplanetária.

A vontade que eu tinha, ao retornar ao aconchego do lar, era de me esparramar naquela cama king size e mergulhar na biografia de Cézanne. Abre parêntese: levei para ler a interessante biografia do pintor impressionista, o que se revelou uma escolha acertada, pois o tempo inteiro em que estive no Atacama me senti dentro de uma paisagem pictórica. Fecha parêntese.

Mas nem cama, nem livro. Meu uga-uga, o homem que batia no peito demonstrando ter mil fôlegos, e cujo passeio de duas horas a cavalo não provocou nem uma reles câimbra, queria conhecer a cidadezinha de San Pedro de Atacama. Eu também queria muito, mas já era noite, teríamos que ir a pé, uma caminhada de 25 minutos que, reconheço, não mata ninguém, mas pela estrada escura e poeirenta, e mortinha da silva, será? Quem sabe deixamos para amanhã? Nada feito. Ele me convenceu e lá fui eu comer poeira. A cada vez que passava um carro por nós, uma nuvem levantava do chão e encobria meus cabelos. Cof, cof. Adeus, vaidade.

Chegamos, por fim, a San Pedro. Bem-vindos ao faroeste.

É um lugarejo simples, bem simples. A rua principal chama-se Caracoles, de terra batida, e concentra um grande número de receptivos (agências de turismo que agendam excursões), lojas de artesanato e uns poucos bares e restaurantes, sendo que o Adobe é o mais animado, com uma fogueira no meio. Para ser sincera, o que mais gostei foram dos lampiões que iluminam a rua (mantendo uma atmosfera penumbrosa) e de uma farmácia retrô de fazer viajar no tempo, uma legítima botica, com balcões de madeira que sugerem uma ambientação de início de século.

San Pedro é um lugar onde muitos jovens transitam, ideal para se estar em turma, é onde se concentra a azaração. Mas eu só pensava em recuperar meu conforto, confesso. Acabamos voltando para o hotel (a pé, logicamente – cof, cof) e jantando lá mesmo, um cordeiro com ervas e de sobremesa brownie com frutas vermelhas. Que castigo.

No nosso último dia completo, fizemos um programa separado. Meu namorado encasquetou de escalar o Toco, um vulcão alto e íngreme, recomendado apenas para atletas com preparo físico adequado. Ele fuma três carteiras de cigarro por dia. Muito adequado. Lá se foi ele, cedo da manhã, na companhia de um guia e de um americano peso-pluma que me pareceu frágil demais para a proeza. Peguei o rumo oposto, me juntei a um grupo de brasileiros e fomos com o Danilo, outro guia, conhecer as famosas lagunas altiplânicas, chamadas Miscanti e Miñiques.

Elas ficam a 100 km de San Pedro e a uma altura também considerável, mais de 4.000 metros de altura. Chegando, o visual é encantador, uma pena que o céu não estivesse totalmente limpo para permitir que o azul das águas reproduzisse o que se vê nos catálogos de turismo, mas ainda assim elas justificaram o passeio. Justificaram ali, ali. Foi muita estrada até lá, e sendo franca, no terceiro dia a gente já está tão acostumado com o esplendor da natureza que nossos olhos não se espantam com mais nada.

Almoçamos num restaurantezinho simples na vila de Socaire e retornamos no meio da tarde ao hotel. Quando entrei no quarto, vi um corpo estendido na cama. Cutuquei. Nada. Cheguei mais perto para ver se respirava. Respirava. Menos mal, o homem havia sobrevivido.

Mais tarde, durante o jantar, ele me narrou sua aventura, bem mais radical que a minha. Disse que o americano frágil havia vomitado quatro vezes no trajeto – por que não me surpreendi? – e que a escalada não era realmente para amadores, exigia luvas, gorro, botas impermeáveis, bastões, energia, disposição, músculos e vergonha na cara para não desistir no meio do caminho. Fazia um frio congelante lá em cima e a falta de ar tornava-se, às vezes, assustadora. Mas nada que o tenha impedido de dar sua pitadinha ao chegar ao topo. Meninos.

Falando em falta de ar: minhas madrugadas atacamenhas foram parecidas com as madrugadas peruanas. Acordava frequentemente no meio da noite com uma ligeira dificuldade em respirar. Nada que ameaçasse a vida, mas é incômodo. A boca resseca e o descanso fica comprometido. Foi o único efeito colateral da altitude – o Atacama é o deserto mais alto do mundo. Dizem que dormem melhor aqueles que utilizam dois travesseiros, e que melhor ainda é dormir sentado. A segunda opção, passo. Me sentiria uma índia velha. Mas os dois travesseiros, anotado.

A manhã seguinte seria a última, já que à tarde voltaríamos para Santiago. O plano era fazer um tour de bicicleta por 18 km até chegar na Laguna Cejar, megassalgada a ponto de não permitir que o corpo afunde, efeito que também acontece no Mar Morto. Era um dos passeios que eu mais ansiava, mas tive que desistir: desde o trekking em Guatin, minhas pernas não me obedeciam mais, eu sentia muita dor na parte frontal da coxa, que me impedia de me flexionar. Como pedalar 18 km? Eu retardaria a turma e talvez nem conseguisse chegar ao destino. Meu namorado partiu com o grupo e eu, respeitando meus limites, fiquei em "casa" arrumando nossas malas calmamente. Às 11h liberei o quarto, fiz o check-out e sentei à beira da piscina em companhia apenas de Cézanne. Feliz, feliz. O hotel estava vazio. Lá pelas tantas abandonei o livro e fiquei apenas curtindo a paisagem e pensando no que havia aprendido naqueles dias. Entre outras coisas, que o turismo profissional pode coexistir em perfeita harmonia com a natureza, sem profaná-la. No deserto, o meio ambiente é tão soberano que ninguém se atreve a violar o aspecto selvagem do local. A anatomia singular das montanhas, a luminosidade mutável, o entardecer aristocrático, a profusão de estrelas no céu, o contraste entre a dureza mineral do solo e a leveza do ambiente, tudo é um convite à reverência. Só a natureza se exibe, só ela se impõe, somos apenas humilde plateia.

Viajar é maravilhoso por inúmeros motivos. O melhor deles estava ali, acontecendo comigo naquela despedida do deserto. Sozinha em meio à vastidão de um panorama colossal, me sentindo personagem de uma pintura, me dei conta de como são especiais esses momentos silenciosos em que nada nos preocupa, nada nos abate. Em que nosso único e primordial dever é honrar o fato de ter nascido.

NOVA YORK, TRÊS TENTATIVAS

A primeira vez que fui a Nova York foi em novembro de 1992. Estava casada há quatro anos e tinha uma filhinha de um. Depois de terminado o período de amamentação, deixei a bichinha aos cuidados da avó e corri para o aeroporto: luxúria, mereço.

Gostamos da cidade, mas o frio foi intenso demais e o dinheiro não era farto. Não tínhamos como ir aos locais transados sugeridos pelas revistas, aqueles que têm fila de espera na porta, mas fizemos a peregrinação habitual dos que viajam pela primeira vez à capital do mundo. Passávamos muito tempo dentro do Metropolitan, do Guggenheim e do MoMA em busca de arte e de refúgio contra o freezer lá fora. Nossa única extravagância consumista foi ter assistido ao Woody Allen tocar com seu grupo de jazz no Michael's Pub (hoje ele toca no Chrysler Building, o prédio que considero o mais bonito da cidade). O lugar era ruim e caro, mas eu tinha encasquetado que queria ver meu ídolo de perto, único episódio de tietagem explícita da minha biografia. Não me arrependi. Ele toca um clarinete honesto, mas podia não tocar nada. Era quem era, e bastava.

Voltamos para o Brasil, a terra deu umas 6.570 voltas em torno do sol, tive outra filha, passei a viver de literatura, me separei e só então voltei a Nova York pela segunda vez, em 2010. Viajei com uma amiga que conheço há muitos anos, fomos colegas numa agência de propaganda e depois cada uma seguiu um rumo profissional diferente, mas nunca perdemos contato.

Não demos muita sorte com o tempo, choveu quase toda a semana em que estivemos lá. Ficamos hospedadas no Pod Hotel (230 E, 51 St), que é uma boa pedida pra quem não quer gastar milhões, mas faz questão de ficar bem localizado. Os quartos são minúsculos (pod significa casulo), porém tudo é limpo, de bom gosto e a frequência do hotel é da maior qualidade.

Munidas de capas de chuva – que jeito – circulamos muito pela cidade. Percorremos as ruas charmosas do Soho, fomos a uma exposição do Matisse no MoMA, assistimos a um show de jazz de Sadao Watanabe, atravessamos a pé a Brooklyn Bridge, conhecemos o Meatpacking District e seu HighLine (parque construído sobre as linhas de trem à beira do rio Hudson), saímos com uma amiga que mora na Carolina do Norte e que foi até NY só para nos encontrar, frequentamos livrarias, bons restaurantes, fizemos algumas compras, demos longas caminhadas pelo Central Park e fomos ver o *Fuerza Bruta* num teatro da Union Square. O espetáculo está há anos em cartaz, sucesso absoluto de uma trupe argentina. É um impacto, uma rave performática. O show mescla teatro, dança e interação com a plateia. Tudo é surpreendente, bizarro, cênico, estranho, até que o grande momento acontece: do teto, começa a descer uma gigantesca piscina plástica, transparente, onde quatro dançarinas fazem coreografias dentro d'água. Uma piscina suspensa sobre nossas cabeças, pensa nisso. E a piscina desce, desce, desce a ponto de esticarmos as mãos e tocarmos no seu fundo, interagindo com as dançarinas. Certamente não estou conseguindo explicar o efeito, as palavras não dão conta. Só posso dizer que é sensacional e apavorante, porque se tem a impressão de que o plástico irá explodir e a água cairá sobre nós. Tudo termina com a sequência da rave: atores e público dançando juntos sob o embalo de um DJ. Vibrante. Se não confia na minha opinião, já estiveram por lá Ashton Kutcher, Bradley Cooper, Jude Law, Demi Moore, Pierce Brosnan, Orlando Bloom, Serena Williams, Shakira, Beyoncé – pergunte a eles.

Quando estava no avião, voltando ao Brasil sozinha (minha amiga seguiu viagem para Houston), travei um diálogo comigo mesma. Qual é, dona Martha? Que cara desenxabida é essa? Qualquer criatura com mais de dois neurônios adora Nova York, e você fazendo doce? O que é que está pegando?

Eu me sentia blindada contra a cidade. Nova York, mesmo com todo seu magnetismo, não parecia combinar com meu jeito de ser. Não compactuo com o frenesi consumista que a cidade impõe – no aeroporto, ao fazer o check--in, eu parecia uma boia-fria se comparada àqueles outros viajantes que despachavam cinco ou seis malas do tamanho de sarcófagos e onde traziam pra casa Manhattan inteira empacotada. Até os programas culturais de Nova York me pareciam mais business que lazer, algo mais para obrigatório do que compulsório. Sem falar do sol, que eu sabia estar em algum lugar, mas não o via, filtrado por aqueles prédios imponentes que quase tocam o céu. Me sentia mais ofuscada do que iluminada, mais cansada do que descansada. Porém ainda não estava disposta a entregar os pontos.

Dois anos depois, em junho em 2012, estava novamente dentro de um avião voando em direção a Nova York, dessa vez na companhia das minhas duas filhas, Julia e Laura, que não conheciam a cidade, mas já faziam planos de morar lá, certas que a compatibilidade se daria num estalar de dedos. Fiquei curiosa para saber se, diante do entusiasmo delas, meu olhar crítico sobre a cidade seria atenuado.

Tivemos mais sorte com o tempo: nem o frio congelante daquele longínquo novembro de 1992, nem a chuva insistente daquele setembro de 2010 – clima temperado e seco, perfeito para se divertir. E o quarto do hotel era mais que um quarto, era na verdade um apartamento amplo, que abrigava com conforto nós três e ainda oferecia de brinde o skyline clássico da metrópole (milhões de luzes acesas nos prédios vizinhos) em nosso respeitoso 32º andar.

Andamos. Como andamos. A primeira refeição não poderia ser mais típica: um cachorro-quente divino, num boteco chique na Worldwide Plaza. Mesmo que essa viagem não tivesse servido para nada, teria valido ao menos para estabelecer de vez meu amor incondicional ao cachorro-quente – ele é meu laço com a infância, com a adolescência, com a adulta sem grana que já fui e com a adulta estabilizada que me tornei. Combina com as especiarias que aprecio, com todos os horários do meu dia, com todas as minhas idades, com todos os meus estados de espírito. Traço cada um deles como se fosse uma ceia natalina, um jantar de casamento, um dia dos namorados. Aliás, já passei um dia dos namorados comendo cachorro-quente de carrocinha de esquina, com uma garrafa de vinho barato trazido dentro do carro. Dos fondues à luz de velas em restaurantes elegantes, não lembro.

Havia entrado pela primeira vez na FAO Schwarz, a mais famosa loja de brinquedos do mundo, naquela primeira ida a NY, em 1992, quando deixei (pra não dizer abandonei) minha filha de um ano nos braços da avó. Uma mãe culpada faz o que em viagem ao exterior? Volta trazendo uma mala de compensações em formato de bonecas. Pois dessa vez, em 2012, entrei na loja acompanhada justamente daquele bebê que agora estava ao meu lado, na véspera de completar 21 anos. E com a outra filha, de 16. As garotas olharam tudo, curtiram o ambiente lúdico, mas não quiseram comprar nada. Diante da maturidade das duas, fingi que não estava doida para comprar um bichinho de pelúcia – para mim, lógico.

Parada estratégica para uma quesadilla de caranguejo no Sarabeth, e toca a caminhar, que o tempo era curto para tanta cidade, tínhamos apenas quatro dias e meio, um feriadão de Corpus Christi. Diria que o aproveitamento de tempo foi mais que satisfatório – e aquelas duas adolescentes que, em casa, dormiam até o meio-dia nos fins de semana, mostraram-se muito tolerantes ao meu toque de despertar.

Antes das 10h estávamos na rua, com café da manhã tomado, rumo à estação de metrô mais próxima – que invenção, o metrô. Pena que no Brasil a ideia não pegou.

O roteiro era repeteco das visitas anteriores, com destaque para o Soho e suas galerias de arte, lojas e cafés, e para o Meatpacking District e seu Chelsea Market, o restaurante Pastis (sempre animado e com ótimos pratos do dia) e o incensado Highline Park, cujo sucesso não compreendo direito.

Teve uma noite em que contrariei minhas convicções artísticas e fui assistir a um musical na Broadway, *The Spider-Man* – o *Homem-Aranha*. Musical nunca foi meu sonho de consumo, mas também não há motivo para ser radical. Fui com a Laura, pois Julia, a mais velha, tinha encontro marcado com uma amiga americana e sairia pra balada. Pois então. Eu e Laura adoramos. A-do-ra-mos. Foi muito eletrizante, um espetáculo amparado na estética do cartoon (por vezes me lembrou o filme *Dick Tracy*) e com uma trilha rock'n'roll composta por Bono Vox. Sem falar nos rasantes que o Homem-Aranha faz rente às cabeças da plateia. Excetuando-se as cenas melosas de amor, com baladas entediantes (inevitáveis nos musicais), me diverti feito criança. Ao final, Laura, com seu olhar de raio X, viu a duas fileiras de distância uma megastar que, claro, eu nem sabia que existia. A criatura deveria ter os mesmos 16 anos da minha filha, era conhecida como a melhor amiga do Justin Bieber e tratava-se da sensação do momento na internet. A pirralha estava cercada de seguranças. "Laura, tu não vai até lá, vai? Se ao menos fosse o George Clooney..." Ela nem me respondeu, saiu em disparada em direção a moreninha de 1m45 que até hoje não decorei o nome. Pois. Agarraram-se as duas como velhas amigas e Laura olhou pra mim quase em lágrimas: "Mãe, tira uma foto nossa". Que rasteira. Eu tinha uma máquina xexelenta na bolsa, sem flash, e os seguranças da microestrela me apontavam o relógio: a limusine está esperando, dona. Click. Saiu um borrão. Mas sou testemunha, era ela mesma– seja ela quem for.

(Dever de ofício, descobri seu nome, Carly Rae-Jepsen, você conhece? Imaginava.)

Coisas que eu ainda não conhecia em Nova York: a Grand Central Station, pra começar. Nunca tinha ido por não ser muito chegada a ostras (é lá que está o mais famoso Oyster Bar do planeta) e por nunca ter precisado pegar trens para as localidades vizinhas. Mas é um prédio imperioso, vale a visita. Estive também pela primeira vez diante do Flatiron Building, aquele edifício singular que tem esse nome por se assemelhar a um ferro de passar (*flat iron*). Ali pelas redondezas está também a famosa Eatly, que convida a um lanche desde que evacuem o recinto – de onde sai tanta gente? – e o Limelight, que é um minishopping multimarcas dentro de uma antiga igreja. E, ainda entre os nunca-estive-aqui--antes, adorei o pequeno e aconchegante Bryant Park, perto da Times Square. Aliás, Times Square também só conheci mais intimamente agora, com suas luzes estratosféricas, megapainéis e turistas a granel.

Estivemos no Metropolitan e dessa vez me dediquei mais à arte africana e aos quadros do magnífico Edward Hopper, o pintor que melhor traduz o nosso estrangeirismo latente. E foi sensacional assistir aos músicos que faziam um pocket show na calçada em frente à escadaria do museu. Cinco negrões admiráveis incorporando The Temptations e cantando a capela "*It was just my imagination/running away with me...*". Arte da maior qualidade, também, e de graça. Ficamos um tempão ao sol, sentadas nos degraus, viajando no som do grupo.

E o Central Park? Nova York não sobreviveria sem ele. Megalópole ruidosa, esquizofrênica, com as sirenes das ambulâncias dia e noite sonorizando suas avenidas, só mesmo contando com um extenso oásis verde, ou não haveria condição. Estivemos lá algumas vezes, sendo a última no domingo, quando presenciamos, entre a passagem de um esquilo e outro, uma manifestação pacífica de porto-riquenhos: alguns milhares de porto-riquenhos , diga-se. Quando acabou, a maioria deles saiu caminhando pela Madison Avenue. E nós, mesmo sem ser porto-riquenhas, acompanhamos o fluxo e voltamos caminhando ao lado deles para casa (de novo, essa mania de chamar hotel de casa). Pois bem. No trajeto, contamos uns 700 policiais assegurando a paz nesse final de manifestação (na verdade, não contamos, mas 700 é um chute razoável – eram três policiais a cada dez metros, e você deve saber a extensão da Madison...). Me senti mais segura do que se estivesse dentro do Vaticano. Policiais na rua, problemas longe – é assim em qualquer lugar do mundo. Inclusive na nossa terra, se experimentássemos.

Estivemos no Brooklyn também, mas dessa vez não atravessei a ponte a pé, fui com as minhas filhas de metrô. É uma volta no tempo: a Nova York que imagino 100 anos atrás. Prédios baixos, brechós, mercados de rua, um quase silêncio. Tudo muito charmoso e provinciano no melhor dos sentidos.

Ainda curiosidades: o homem tocando piano em plena Washington Square domingo de manhã. Relaxante, inspirador. Mas fiquei intrigada: como ele leva o piano todo dia até lá?

O casal dentro da loja da Apple, na esquina do Central Park East, com duas enormes cobras enroladas no pescoço, como se fossem echarpes – cobras gigantescas mesmo, espessas, e vivas. O universo dos acessórios vem mudando, definitivamente.

E Hell's Kitchen é um bairro que merece atenção, apesar da barulheira. Bati ponto no Pietrasanta, restaurante italiano na esquina da 9th com 47th. Mesa na rua, lotado já às 19h. Infernal, mas gostoso.

Gostei mais de Nova York dessa vez. Lógico que a companhia tem muito a ver com isso, que mãe não se sente gratificada viajando com duas filhas dispostas a muito cosmopolitismo e novidade?

Para quem anda sem pulso e precisa confirmar se continua vivo, Nova York é o destino.

Mas a cidade e eu ainda não equalizamos 100%. Essa de 2012 foi a melhor viagem até lá, mas ainda pretendo um dia me doar para a cidade sem reservas. Creio que a quarta vez terá que ser sozinha, só eu e ela, olhos nos olhos. Assim são as entregas absolutas.

MEU JEITO DE VIAJAR

Nenhuma viagem é igual; nenhum viajante, idem. Cada um tem suas manias e preferências, que vão se firmando com o tempo, à medida que a experiência de se deslocar se torna mais constante. Sem dúvida que é preciso estar aberto a imprevistos e às exigências da cultura de cada lugar, porém, tomando precauções que garantam nosso conforto, a chance de ter uma viagem bem-sucedida aumenta de forma significativa.

Avião, por exemplo. Por sorte, é um meio de transporte que jamais me provocou medo. Nunca me deu motivo pra isso. Não sei o que é passar por uma turbulência dessas que fazem a aeronave despencar alguns metros e nos põem a rezar um Pai-Nosso atrás do outro. As máscaras de oxigênio nunca caíram automaticamente sobre a minha cabeça. Já passei por pequenos solavancos e pela contemplação de alguns raios durante uma noite de tempestade, mas nada que abalasse minha fé. Essa segurança talvez venha da consciência de que, dentro de um avião, não há como interferir no destino. Se eu estou viajando de carro, tenho a opção de parar no acostamento para tirar um cochilo, dar freadas e guinadas para evitar choques, reduzir a velocidade, aumentar a velocidade, pedir para saltar caso me sinta em perigo. Em ônibus e trens, estou em terra firme, tenho uma probabilidade razoável de escapar pela janela, no caso de um acidente não muito trágico. Dentro de um avião, o que posso fazer? Na-da. Estou totalmente entregue aos acontecimentos, então qual o sentido de ficar em estado de alerta? Relaxo feito uma budista. Não que eu considere agradável ficar enlatada num local fechado, cercada de gente estranha. Voos curtos, tudo bem: folheio uma revista, tiro uma soneca, pronto, cheguei. Mas voos longos, de atravessar a madrugada, haja paciência. Sempre tive dificuldade em dormir sentada – sou passageira da classe econômica, como quase todo mundo. Viajei três ou quatro vezes na classe executiva pela benção das milhagens, e é realmente outro espaço, outra reclinação, outro serviço, mas ainda não tive o desprendimento de eu mesma pagar por um assento nessa literal zona de conforto – não há diária de hotel cinco estrelas que custe tanto, e se o avião cair, morrem todos do mesmo jeito, então qual é a vantagem?

Hoje em dia, já não sofro tanto com as noitadas desconfortáveis a 20 mil pés de altitude. Tomo um ansiolítico e apago bonitinha.

Apago bonitinha, porém acordo sem coragem de me olhar no espelho. Quem é que se mantém formosa depois de dormir torta e tendo que ir amassada para a fila do banheiro com a nécessaire na mão? Calamidade aérea, para mim, é isso.

Se eu gosto de comida de avião? Gosto. Gosto justamente porque é intragável e mal toco nela. Chego sempre mais magra ao local de desembarque.

Já aeroportos me causam boa impressão, apesar de não possuírem a mística de outrora. São assépticos, luminosos, modernos, território de vários idiomas – me excitam. Não só pelo espaço amplo e arejado, mas também pela gostosa sensação de estar em trânsito. Muitas pessoas consideram viajar uma fuga. Para mim, é encontro. Não é viajando que me considero estrangeira. Estrangeira eu sou quando estou fazendo supermercado, tirando o lixo para fora e esperando o técnico que ficou de vir consertar a geladeira.

Uma amiga conheceu o homem da vida dela ao fazer uma conexão inesperada em Brasília, quando vinha de São Luís do Maranhão em direção ao Rio de Janeiro. Tomou um chá de cadeira de três horas no aeroporto. Estava sentada, justamente aborrecida, quando um sujeito bem-apessoado se aproximou e puxou conversa. Era ele. O enviado celestial que mudaria o rumo da sua jornada amorosa, ela que já contava com meio século de vida nas costas e alguns casamentos desfeitos. Dizem que essas coisas acontecem muito em aeroportos. Nunca comigo.

O que de mais emocionante me aconteceu foi o dia em que um senhor pesando uns 200 quilos quase sentou no meu colo numa sala de embarque – não reparou que o assento já estava ocupado. Cheguei a escrever uma crônica sobre esse assombroso talento que tenho de me tornar invisível nos lugares mais improváveis. E certa vez eu estava no aeroporto de Londres, aguardando um voo, quando sentou ao meu lado um homem elegante e vagamente familiar. Quando a ficha caiu, por pouco não desmaiei. Nada menos que Harrison

Ford. Pensei no que dizer a ele. Pensei, pensei, pensei, e por fim não disse nada.

De mais desagradável? Os atrasos de voo, claro. E ter que tirar e recolocar calçados, cintos, anéis e relógios que se recusam a atravessar em silêncio o detector de metais. Quanto aos freeshops, sinceramente, só entro para passar o tempo, não compro nada.

Vamos falar sobre isso?

Muitos anos atrás, havia uma enorme diferença entre os produtos comercializados lá fora e o comércio interno – encontrava-se nos Estados Unidos e Europa artigos que aqui só chegariam muito anos depois, se chegassem. Quem tinha dinheiro sobrando, comprava feito um sheik. Não era meu caso. Com recursos escassos, gastava com transporte, hospedagem, alimentação e ingressos para shows e museus. Trazia quase nada, só bobagenzinhas.

Aí o mundo se globalizou, e hoje o que você encontra em Berlim, São Francisco e Cingapura estão em lojas a poucos quarteirões da sua casa – quando não em camelódromos. Sem falar na facilidade de fazer compras pela internet, hábito que só cresce. O Brasil está muito caro, então é mesmo uma pechincha comprar um tênis em Miami que aqui custaria uma fortuna, porém você terá que voar até Miami, se hospedar em Miami, se alimentar em Miami, e aí já torrou os dólares que estaria teoricamente economizando.

No final das contas, o que vale mesmo, sempre, é o passeio. Quem concorda comigo, levante a mão.

Três.

Outro ali, estou vendo. Quatro.

Permita me explicar. Óbvio que comprar é uma festa, ainda mais em viagem. Estamos com tempo livre e alguns tostões no bolso reservados justamente para esse fim. E por mais que não haja grandes novidades lá fora, o estado de espírito do viajante favorece um olhar mais generoso em direção às vitrines. Eu já revelei que tenho um fraco por artigos de papelaria, mas também tenho quedinhas mais apuradas. A Zadig & Voltaire, por exemplo, é uma loja que me cativa, não consigo deixar de namorar seus cashmeres com pegada rocker. Em época de liquidação, sempre levo alguns. Bijuterias étnicas são irresistíveis, e você encontra muita variedade no exterior. Houve uma época em que eu amava entrar na Pylones, que é uma loja francesa de artigos coloridos e inusitados – lembro de ter comprado uma colher de sorvete que me encanta até hoje, sinta a humildade. Hoje, no Shopping Iguatemi de São Paulo, você encontra igualzinha. E passo horas dentro das lojas Sephora espalhadas pelo planeta. Com atraso, São Paulo também já tem a sua filial, e outras capitais brasileiras em breve. Recentemente entrei num sebo de discos no Brooklyn e encontrei CDs usados, a preço de banana, de Miles Davis, Keith Jarrett, Tom Waits, Cole Porter e mais uns tantos músicos de quem, tempos atrás, eu tinha os discos de vinil e estupidamente passei adiante.

Refiz meu estoque pagando uma bagatela e o pacote não fez grande diferença na mala.

Só compro coisas de pouco volume, ou seja, me libero para anéis, cadernetas, batons, colares, echarpes, agendas, esmaltes, pulseiras, camisetas, cacarecos, tudo o que for fácil de acomodar e que me faça lembrar de cada lugar onde estive. Sei de gente que traz uma dúzia de jeans, bolsas enormes, chapéus, jogos de cama, porcelanas, equipamento para esqui, guitarras, abajures, televisores, carrinhos de bebê – aliás, trazem o enxoval completo para o bebê, não raro até o próprio bebê, algum recém-nascido made in China.

Havendo predisposição para carregar várias malas, perder horas no check-in e pagar excesso de bagagem, não vejo pecado algum. É um estilo de viajar. Só não é o meu. Cometi uma única extravagância na vida. Foi uma vez em que estava caminhando por uma rua estreita de Paris quando passei por uma pequena loja de artigos africanos. Distraída, olhei para dentro e vi, na parede lá do fundo, uma grande tela colorida. Fui praticamente abduzida por aquele festival de tonalidades e desenhos tribais. Quando dei por mim, estava dentro da loja, Não havia outros quadros, apenas esculturas – aquela tela que chamou minha atenção era a única. Duas moças entediadas jaziam atrás de uma mesa. Intuí que a peça deveria fazer parte da decoração do ambiente, mas mesmo assim resolvi tirar a dúvida. Elas me olharam espantadas, estavam quase dormindo, e com mais espanto ainda olharam para a tela – já haviam se acostumado com ela a ponto de nem saberem se estaria à venda ou não. Pedi para retirarem a peça da parede para saber sua procedência. Diante da minha inesperada ousadia, atenderam. E ali estava o que eu queria: a informação de que se tratava de um tecido pintado por um artista senegalês e que valia algumas centenas de euros. Não era o preço de um Modigliani, mas tampouco custava o mesmo que um guardanapinho de papel. Puxei uma cadeira e comecei a negociar com elas num misto de espanhol, inglês e francês que originou um idioma tão convincente que as moças toparam o impensável: vender a peça que a dona da loja provavelmente havia colocado ali sem muita esperança de comercializá-la. Elas me deram um desconto de 100 euros (depois ensino meu idioma secreto capaz de façanhas como essa) e ainda as fiz soltar o tecido da armação, para que eu pudesse trazê-lo para o Brasil enrolado. A operação durou o mesmo que uma neurocirurgia ou um transplante de coração, o que demorar mais. Exigia delicadeza e precisão para que o tecido não se rompesse. Sentada estava e sentada permaneci, não arrastei o pé da loja, pois se fosse dar uma volta e retornar depois, correria o risco de as meninas trancarem a porta da frente com correntes e pendurarem uma placa de FERMÉ pelo resto da vida. Dei trabalho às duas, mas saí de lá com a missão cumprida. Elas nunca me esqueceram, garanto. Espero que não tenham perdido o emprego.

Finalizando a saga: não havia um canudo para acondicionar o tecido, ele era muito grande – e a galeria só vendia esculturas, como disse. Então ele foi enrolado em papel pardo, era o que havia. Ficou meio mole, e não era possível dobrá-lo, criaria rugas, estragaria a pintura. Voltei caminhando para o hotel com aquele troço embaixo do braço, uma baguete do tamanho de um menino de oito anos. Quando fui fazer o check-in para retornar ao Brasil, não deixaram que eu a levasse dentro da cabine do avião, teria que despachar. Colaram uma etiqueta FRAGILE no embrulho e lá se foi minha querida aquisição na companhia de malas duras, pesadas, ferozes. Frágil fiquei eu.

Ao desembarcar em São Paulo, passaram pela esteira todas aquelas bagagens rudes de tamanhos variados, baús, carrinhos de bebês, e nada do meu singelo pacote com a relíquia senegalesa. Os passageiros recolheram seus pertences e sumiram todos. Fiquei eu, solitária no saguão, olhando para a esteira vazia a espera de um milagre. Desisti. Onde é o balcão de extravio? Vi ao longe um quiosque da companhia aérea e fui caminhando até lá bem desconsolada, com a esperança no pé. Foi então que olhei para o lado e vi, atirada num canto, junto a uma parede, a minha baguete. Em péssimo estado, com o papel sujo, rasgado, pisoteado. Sobrevivente de um massacre. Juntei como se fosse um moribundo prestes a morrer em minhas mãos e a trouxe para Porto Alegre, dessa vez dentro da cabine, não me pergunte como: acho que subornei alguém.

Hoje a belezura está pendurada na parede da minha sala. Na verdade, nem é tão excepcional, mas as coisas tornam-se valiosas pela sua história. Essa é a dela e a minha. Agora só trago badulaques que pesem menos de 100 gramas.

❖

Aproveitando o assunto, hora de arrumar as malas. Outro dia fui alertada por uma agente de viagens sobre o limite de peso de bagagem que uma exótica companhia aérea toleraria para um determinado trecho que eu estava prestes a voar: "Martha, sinto muito, mas para esse trecho, eles só permitem um volume de 20kg. Se ultrapassar, paga um excesso aviltante". Minha resposta: ok. O excesso não iria acontecer. Nunca aconteceu. Never.

Eu também sempre levo mais roupa do que preciso, como todo mundo. Mas, ainda assim, levo pouca coisa. E cada vez menos, a cada viagem. Não almejo chegar àquele estágio em que a pessoa só viaja com uma sacola de mão e compra o que precisa ao chegar, já me julgo suficientemente elegante transportando apenas o necessário. E ainda pretendo aprimorar essa habilidade, pois sempre sobram umas cinco peças que não são usadas – voltam dobradas e passadas do jeito que partiram.

Mala enxuta é uma das razões que me faz preferir viajar em meses quentes. Tudo fica mais fácil com o calor: sandálias rasteiras em vez de botas, vestidos em vez de casacões. Funcionalidade e leveza. Os dias permanecem claros até às 21h. Dependendo do lugar, até às 22h. As refeições são feitas em mesas na calçada, caminha-se mais, frequenta-se mais parques, as cidades ficam mais coloridas e alegres. Claro que existe a contrapartida: os preços são mais altos e nunca vi nevar. Adoraria colocar nos meus porta-retratos algumas fotos em que apareço mais bem composta, mais requintada, com um visual legitimamente europeu, e não suando, com uma camiseta desgrenhada e um rabo de cavalo feito às pressas. Mas não se pode ter tudo.

Há quem não tire fotos em viagens. Acho muito civilizado, quase invejo essa postura nobre. Mas eu sou plebeia, gosto de registrar momentos especiais, ao menos quando viajo acompanhada, que é quase sempre. Sozinha, não levo câmeras porque acho desolador tirar fotos de si mesma. Nos outros casos, sorrio e click.

Mas não sempre. Não toda hora. Não a ponto de você não curtir com os próprios olhos o que está vendo e vivendo. Máquina fotográfica tem que ficar esquecida na mochila, senão vira tara, a viagem se transforma num stress. Se você é fotógrafo profissional, do tipo que anda com a máquina pendurada no pescoço, entendo: e se a luz mudar? E se aquela criatura enigmática dobrar a esquina e desaparecer? E se nunca mais eu voltar a essa ruazinha pitoresca? E se perder esse instante? Click, click, click. Entendo também a primeira visita feita a um local deslumbrante – principalmente as primeiras visitas em que há chance de não haver uma segunda. É tudo tão belo, tão novo, tão impactante, como não mostrar para o pessoal em casa que estivemos aqui? Click, click, click. E entendo casais apaixonados. Entendo mesmo.

Mas os anos passam. Se você viaja com regularidade e já esteve no mesmo lugar várias vezes, não precisa refazer as fotos teimosamente. Permita-se flanar como um morador, perceber os aromas, a atmosfera, os detalhes que ficarão guardados na sua própria memória. Ok, tudo bem levar uma pequena câmera na bolsa para um flagrante fora do comum – vá que você dê de cara com a rainha da Inglaterra, de bermudas, andando de bicicleta numa estradinha da Provence. Ou para o caso de encontrar um velho amigo e querer registrar o encontro. Mas aquele click, click, click histérico, já foi, outros tempos, amadureça.

Escute essa: eu revelo todas as fotos que tiro. Tá: todas, todas, todas, não. Só aquelas em que saí apresentável. E coloco em álbuns. Juro por Deus. Tenho um monte deles. Mas não mostro para ninguém, a não ser para quem viajou comigo e para minha família, se ela estiver de bom humor. Das coisas mais chatas do mundo, ver fotos dos outros.

Há outra maneira de fotografar uma viagem, e dessa não abro mão. É anotar como foi o dia. Que lugares visitei, onde almocei, o que comi, quem encontrei, o que senti, quanto paguei, o que descobri, a que horas voltei. Sem nenhuma intenção literária ou jornalística, apenas rabiscos a fim de registrar a viagem em palavras, não só em imagens. Coleciono esses microdiários e é incrível: quando os releio, retorno aos lugares em que estive, lembro de cada detalhe mencionado. Uma maneira de voltar no tempo, só que de uma forma mais sensitiva e menos estática do que nas fotos.

Este livro é um exemplo disso, em versão mais longa e industrializada.

Outra maneira de resgatar uma viagem é compartilhar recordações com quem foi junto com você. "Lembra aquela vez em que...?" Mas será que vocês lembram da mesma forma? A afinidade é tanta assim?

Companhia de viagem é uma questão delicada. O meu nariz empinado para excursões não tinha a ver apenas com a pouca mobilidade para fazer as coisas do meu jeito e no meu ritmo, mas também com a questão do convívio. E se os parceiros fossem uns xaropes? Um pouco de bagagem é inevitável, mas passar dias ao lado de um sujeito mala é exigir demais.

Fiz apenas duas viagens de excursão – excursões seletivas, diferentes dessas que reúnem 500 pessoas – e nenhum problema tive nesse aspecto: mesmo que houvesse alguém menos equalizado com o humor do grupo, diluía-se entre tantos outros seres divertidos e bons de papo. Mas quando a viagem é só sua e de outro alguém, todo cuidado é pouco.

Não entendo quem viaja com vizinho, com amigo de academia, com parente com quem só cruza no Natal. Passar o dia inteiro com uma pessoa que você mal conhece é uma aventura de alto risco. Cada um de nós possui um universo particular, com manias, frescuras e neuroses de estimação. Há quem acorde às 5h da manhã para aproveitar bem o dia, e outros que não levantam antes das 11h. Há quem aprecie tudo supersonicamente, em poucos minutos, e há quem nem leve relógio para extrair com calma o melhor de cada programa. Há os que são muito agradáveis quando você encontra de vez em quando no seu bairro, mas só do outro lado do oceano você descobre que são falantes compulsivos, medrosos crônicos ou que vivem contando histórias sobre pessoas doentes. Há quem queira economizar no jantar e leva um frango de padaria para o quarto do hotel, há quem entre em pânico se pega um táxi cujo motorista é muçulmano, há quem deixe o banheiro uma bagunça, há os hipocondríacos que assim que desembarcam precisam saber onde fica o hospital mais próximo, há os chatos pra comer que nunca gostam de nada, há os que sempre reclamam dos preços, do clima, do idioma, das distâncias, há os que perdem o passaporte, o cartão magnético do hotel, os dólares que estavam na carteira, a máquina fotográfica, as entradas para o teatro. E há quem brigue por esporte, sempre pronto a entrar numa discussão, seja em que língua for.

Viu quanta coisa pode dar errado?

Viajar sozinho elimina essa quantidade de senões, mas se você não é adepto (poucos são), melhor mesmo é viajar a dois: você e o amor da sua vida. É minha modalidade favorita. Não que isso impeça atritos. Em algum momento vocês irão discordar, querer se matar, é normal. Ninguém está acostumado a ficar 24 horas colado por vários dias – nem toda paixão do mundo segura essa overdose. Por isso, é muito importante que os pombinhos sejam maduros e independentes: ele quer tirar uma sesta depois de todo aquele vinho do almoço? Vá às compras sozinha e se reencontrem no fim da tarde, já doidinhos de saudades um do outro. Ele detesta museu? Localize para ele, no mapa, onde fica o zoológico, mande lembrança aos coalas e parta saltitando para as galerias de arte. É você que está querendo dormir até mais tarde e ele encasquetou de assistir a um campeonato de xadrez num domingo de manhã? Apoie-o. "Vá, meu bem". Não há de ser lá que ele encontrará uma sueca espetacular e fugirá com ela.

Viajar com uma grande amiga – daquelas que você conhece bem mesmo – também é ótimo e segue as mesmas regras: se ela só entra em butiques de grife e você baba por uma feirinha de rua, cada uma na sua. Mais tarde vocês se encontram num bistrô bem charmoso para um cálice de espumante e muitas gargalhadas compartilhadas. Delícia.

Grude, grude, grude, só entre almas gêmeas. Se é que isso existe.

Eu já parei em hotel 5 estrelas, 4 estrelas, 3 estrelas, 2 estrelas, nenhuma estrela, dormi em sofás, no chão, em trailer, em redes e em casa de gente que nunca tinha visto – tudo confirmado por esses relatos. A melhor opção? Um 20 estrelas, caso existisse. Desde que não muito metido a besta.

Quando era bem garota, não dava a mínima para onde iria dormir em viagens. Nunca fui muito amiga de mato, mosquitos, já comentei, mas havendo um teto e água encanada, estava valendo. Aí a gente cresce, deixa de ser uma estudante, passa a trabalhar, melhora de padrão um pouquinho, e trabalha mais, e mais, e corre atrás, e se dedica, e quando vê, já tem uma longa estrada percorrida, o que por um lado é desolador, os joelhos fraquejam, mas tem o lado bom: as conquistas. Entre elas, poder investir um pouco mais na hospedagem. É aí que damos valor a uma cama king size, a um banho poderoso, a uma vista deslumbrante e a uma decoração como deve ser: simples, mas com um charme de arrebatar.

Eu não preciso de cortinas de veludo, lustres de Versailles, louça inglesa do século XV – nunca me senti confortável com suntuosidade. Prefiro hotéis rústicos, mas com aquele toque de capricho que faz a diferença. E nada de uma tropa de funcionários ao meu dispor: se eu quiser alguma coisa, peço. Gracias, thanks, merci e feche a porta.

Muito bem, você está no bem-bom, de férias de você mesma: não pensa no trabalho, esqueceu onde mora, e a família, que família? O pessoal deve estar com saudades, querendo saber notícias suas. Se você ainda tem mãe viva, *ela* ao menos deve estar roendo as unhas, aguardando um alô. Vai ficar em silêncio para sempre, sumida?

Hoje em dia, não temos mais desculpa para desaparecer. A praga do celular encontra sinal até mesmo na lua. Passar um e-mail é pra já. MSN, Skype, tem de tudo para fazer contato imediato. Saudades de quando a gente partia e enviava, no máximo, um cartão-postal. Hoje a conexão é tão instantânea que estar em Bangkok ou Curitiba, dá no mesmo. Basta uma teclada e você está ao alcance de qualquer um.

Eu não sou partidária de escrever ou telefonar todo santo dia. E digo isso inclusive em relação às minhas filhas. Considero uma tortura exigir delas que me mantenham informada de todos os seus passos quando estão fora de casa.

Laura, a mais moça, acabou de fazer um intercâmbio no Canadá, onde passou um mês estudando. Recomendei a ela que não se preocupasse em ligar toda hora, queria que ela curtisse seus primeiros passos rumo a sua independência. É preciso esticar esse cordão umbilical invisível que ainda une pais e filhos. Claro que desejava saber dela, mas essa obrigação de mandar notícias a todo instante é algo que tolhe os movimentos, enjaula. O bom de viajar é (também) escapar dos olhos vigilantes dos outros, estar por conta própria, vivendo uma sensação de liberdade que é tão rara hoje em dia.

Mas tem que trazer presentinho, dizem.

Precisa mesmo? Considero de uma delicadeza extrema lembrar dos que ficaram e trazer algo para confirmar esse afeto, mas, mesmo correndo o risco de passar por antipática, assumo: até essas pequenas gentilezas comprometem a sensação gloriosa de não estar submetida a nenhuma obrigação. Uma coisa é você estar passando por uma loja, ver algo que é a cara de uma amiga, o desejo secreto de uma filha, e que ainda por cima é uma pechincha. Compro, claro. Que delícia prever a surpresa que iremos causar a quem tanto amamos. Outra coisa é sair com uma listinha com o nome do pai, da mãe, dos irmãos, dos cunhados, dos sobrinhos, dos sogros, da empregada, do zelador e da colega de trabalho que encomendou (credo, ainda há quem faça encomendas?) um spray de cabelo antialérgico que só existe numa lojinha num bairro da periferia de Londres, mas você vai estar ali perto, ora, o que custa?

Os breves meses em que vivi em Santiago do Chile possibilitaram que eu voltasse lendo bem o espanhol, mas falar espanhol ainda é um suplício, e meu inglês só está melhorzinho atualmente graças a minha superteacher e amiga de uma vida, Karin Sachs. Porém, não dei continuidade às aulas e hoje apenas me viro o suficiente para não me perder nem passar fome – já entabular uma conversa fluente, de gente grande, com todos os pronomes e advérbios no lugar certo, no way. E como isso é limitador. Ao tentar se comunicar num idioma que não dominamos, parecemos megaignorantes, e não há quem se sinta confortável em causar má impressão. Eu, ao menos, me penitencio por não ter sido mais persistente no aprendizado de outras línguas, o que me priva de conhecer o mundo de forma mais profunda e de crescer profissionalmente aqui mesmo, no Brasil. Aprender bem (mas bem mesmo) um segundo idioma – de preferência o inglês – deveria ser obrigatório. Hoje as escolas dão mais atenção a esta matéria e inclusive proporcionam viagens curriculares para os alunos praticarem e irem além do básico. Mas deveríamos todos – governo inclusive – levar o assunto mais a sério, não só para termos um melhor aproveitamento do turismo, mas da vida como um todo.

Muitas pessoas decidem viajar em momentos de transição pessoal, quando sofreram alguma perda ou estão vivendo um dilema – necessitam passar por um divisor de águas para seguir adiante. É uma estratégia que se deve respeitar, até porque ajuda mesmo, mas é bom não esquecer que uma viagem não realiza milagres. A felicidade não será servida em bandeja de prata só pelo fato de a pessoa estar em um local distante de onde costuma sofrer seus revezes. Decolagens nos dão a impressão de estarmos passando por cima dos problemas que ficaram em solo, mas haverá uma aterrissagem, cedo ou tarde. Claro que se ausentar é um recurso legítimo para afastar-se do que lhe incomoda, a fim de raciocinar com mais clareza e se distrair com outras coisas, mas acreditar em soluções de pronta-entrega é ilusão, não compatibiliza com o que uma viagem pode realmente lhe trazer de benéfico.

Um desses benefícios é enxergar o mundo com um olhar novo e inspirado. Um boteco, um açougue, uma igreja, um bonde, uma tabacaria, um poste, uma janela, uma placa de rua: na sua cidade natal, você quase não observa mais o mobiliário urbano e os detalhes que compõem o todo que nos cerca – já em Lisboa, em Tiradentes, em Bariloche, cada um desses lugares ganha poesia. É quando nos permitimos ficar rendidos pela beleza e pelo valor estético daquilo que, no nosso cotidiano, depreciamos como se fosse uma futilidade. Na pressa de sair para trabalhar, de não chegar atrasado, de vencer os obstáculos de uma segunda-feira qualquer, permanecemos cegos diante do que há de encantador em cada esquina, em cada avenida que nos são costumeiras.

Viajar não cura sofrimentos, mas nos faz perceber que podemos ser bem mais do que turistas esporádicos – podemos, isso sim, ser viajantes durante os 365 dias do ano, em qualquer lugar em que se estiver, incluindo onde se mora. Comprometer-se com o encantamento contínuo pela vida não impede desconfortos do coração, dívidas com o banco ou conflitos familiares, mas dá uma trégua pra alma.

Próximo destino? Incerto. Incerto em um grau que até assusta. Tudo o que vejo pela frente é um ponto de interrogação. Já não sou aquela menina da mochilagem pela Europa. A viagem prosseguiu e tem sido ininterrupta. Terminei recentemente um longo namoro, que vivi depois de um longuíssimo casamento. Dois relacionamentos importantes, com dois grandes companheiros de aventura que fazem parte, hoje, da minha biografia afetiva. E agora? Que novas cidades percorrei, que experiências serão partilhadas, e com quem? Desisto de tudo, menos de permanecer na estrada e conhecer melhor esse planeta que nunca esgota minhas expectativas.

Que a vida me chame. Os vistos estão em dia e sigo a postos.

IMPRESSÃO:

Santa Maria - RS - Fone/Fax: (55) 3220.4500
www.pallotti.com.br